JN045570

メガヒットが連発する

殻を破る思考法

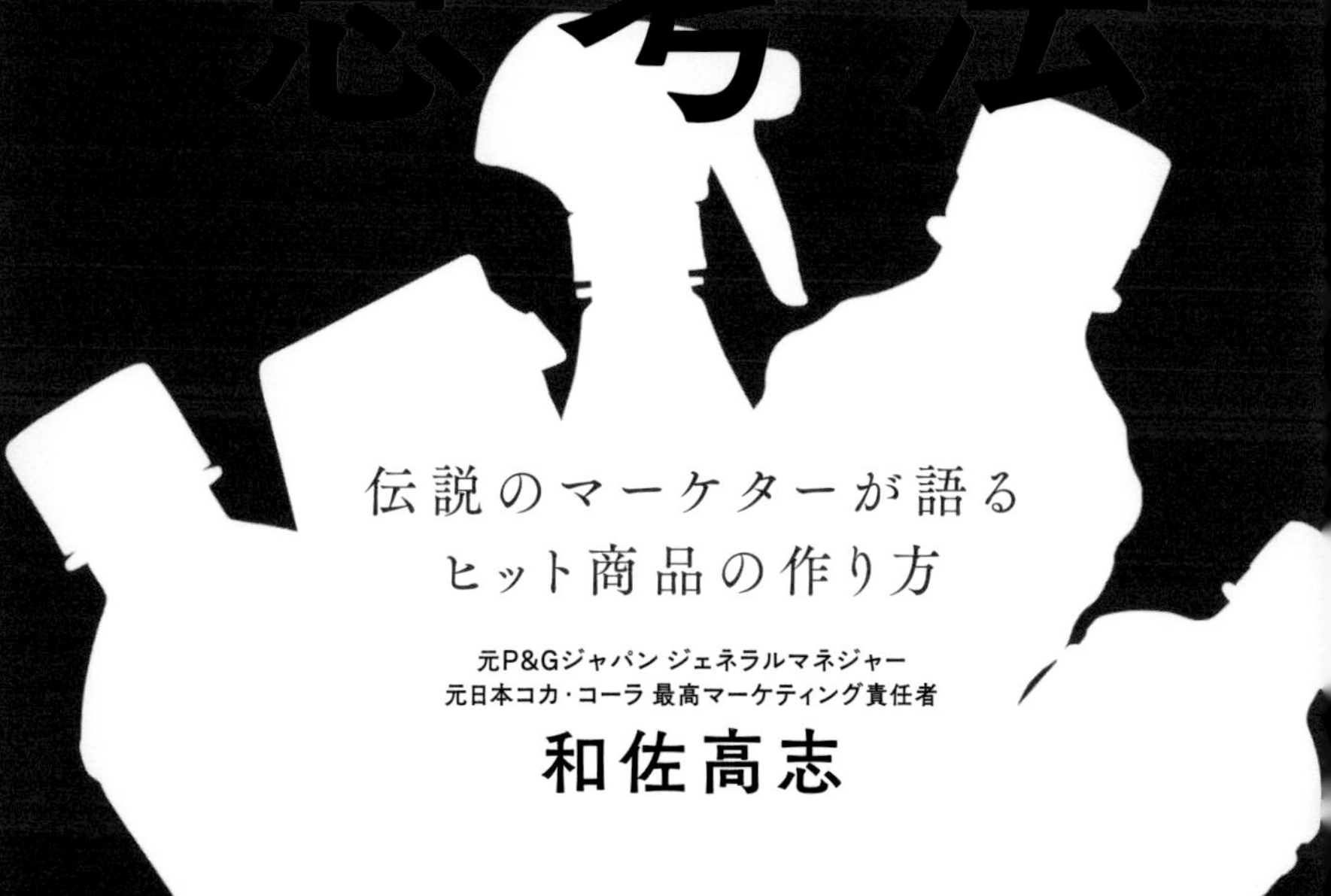

伝説のマーケターが語る
ヒット商品の作り方

元P&Gジャパン ジェネラルマネジャー
元日本コカ・コーラ 最高マーケティング責任者
和佐高志

ダイヤモンド社

はじめに

なぜ私は、メガヒットを連発できたのだろう？

Ｐ＆Ｇジャパンで携わった**「マックスファクター」「ＳＫ－Ⅱ」「ジョイ」「ファブリーズ」「ボールド」「アリエール」**、日本コカ・コーラで携わった**「綾鷹《あやたか》」「太陽のマテ茶」「からだすこやか茶Ｗ」「ジョージア」「檸檬《れもん》堂」**。

これらの商品は、多くの人が買ったことがある、あるいは名前を聞いたことがある、いわゆるメガヒット商品です。ありがたいことに、私は在職したＰ＆Ｇジャパンと日本コカ・コーラで、マーケティング担当者として多くのヒット商品に携わることができました。

どうしてそんなにたくさんのヒットを出すことができたのか、苦戦していたブランドを立て直すことができたのか……。こうした質問を受けることがあります。

「それはマーケティングの基本の徹底によるものです」と言うと、「海外でマーケティングを学ばれたのですか、ＭＢＡをお持ちですか」とよく聞かれます。私の答えは「マーケティングを学生時代に学んだことはありません。すべてＰ＆Ｇの実務経験が基になっていますが、マーケティングは面白いし、それほど難しいものではありませんよ」です。

皆さんはどうもマーケティングを難しく考え過ぎだと私は思っています。難しく難しく考えようとする。そうではなくて、**消費者目線で見てみればいい**のです。そうすれば、売れる理由も売れない理由も見えてきます。この商品は本当に消費者に欲しいと思ってもらえる物なのか？　機能は優れているのか？

本当は素晴らしい商品でも、消費者の目に魅力的に映らないと、「ああ、これは私の買うものではない」ということになってしまいます。

あるいは、価格が高すぎる、配荷率が低い、置かれている場所が間違っている。これでは売れるはずがありません。そういう時は、ポジショニングを変更したり、価格を調整したり、配荷を修正したりしていけばいい。

これは、マーケティングの「3A」と呼ばれています。**「Acceptability（受容性／消費者からの受け入れやすさ）」「Availability（店頭にどのように置かれているかという配荷）」「Affordability（価格／買い物しやすさ）」**の3点です。

この3点を徹底していく。とにかく徹底していくのです。これが、基本の一つです。

イノベーションのアイデアについても、よく聞かれました。どうやってそんなに斬新なアイデアを思いついたのか。これについては、スティーブ・ジョブズがコメントを残しています。

マーケティングの「3A」

Acceptability（受容性／消費者からの受け入れやすさ）

Availability（店頭にどのように置かれているかという配荷）

Affordability（価格／買い物しやすさ）

自分が経験したことと目の前にある問題を組み合わせただけだ。おそらくどんなイノベーションを生み出した人たちに聞いても、そう言うと思うよ。

斬新なアイデアは、まったくのゼロから発想するものではないのです。では、何が必要なのか。これについても本書で解き明かしていきます。

P&Gでは在籍15年目で当時日本には5人しかいなかったカテゴリーのジェネラルマネジャー（GM）になり、日本コカ・コーラでは副社長兼最高マーケティング責任者（CMO）の要職を務めました。

しかし、私はエリートなどではまったくありません。それどころか、高校時代は練習の厳しいバレーボール部に所属していたこともあって、すっかり落ちこぼれていました。高校時代の成績表が今も残っていますが、体育を除いて5段階評価の

「2」と「3」がずらり。

英語にいたっては、ギリギリスレスレでなんとか進級させてもらったレベルでした。私が外資系企業で英語を使いながら仕事をしている、などということを、高校時代の英語の先生は絶対に信じてくれないと思います。あんなに英語ができなかった子が、と。

実のところ、今でこそビジネス英語は問題なく話せますが、発音は思い切り日本人発音ですし、知らない単語もたくさんあります。わからないことを言われたら、それはどういう意味ですか、と聞けばいいだけの話です。私はずっとそうしてきました。コミュニケーションとはそういうものです。

P&Gにギリギリ滑り込み入社

バレーボール部の活動が終わった高校3年生の夏から必死で勉強し、浪人も経験して私は大学に入りました。専攻は新聞学科です。目指したのは、開高健や落合信彦のようなジャーナリストでした。そして出会った卒業論文のテーマが「アサヒスーパードライのV字逆転」でした。

かつて日本のビール市場では、麒麟麦酒（キリンビール）がシェアの5割以上を持っている時代が長く続きました。一方で低迷していたのが、朝日麦酒（アサヒビール）。そんなアサヒビールを、樋口廣太郎《ひぐちひろたろう》さんという経営者がトップシェアに躍り出るほどの会社に変えたのです。

そのためにはやるべきことがあった。在庫が滞留して味の落ちたビールを損金を出して処分する。すっきりとした喉《のど》ごしの新しい時代のビールを開発する。売れることを予想して大胆な先行設備投資をしていく……。

私がなりたかったのはジャーナリストでしたが、この論文を通じて製品のマーケティングという世界に強い興味を持ったのでした。


大学の2つ上の先輩に、誰もが憧れる女性がいました。帰国子女で、英検1級を持っていて、テニスもうまい才女。みんな、彼女がどこに就職するのか注目していたのですが、選んだのは、当時はまだまだ無名だったP&Gでした。

私が就職活動を迎えるころ、その先輩から連絡があったのです。P&Gという会社はまだ知られていないが面白い会社だ、リクルーティングが大変なので一度、来てみてくれないか、と。ただ、先輩はファイナンスの仕事をしていて、私の希望はマーケティングだったのです。マーケティングは、すでに選考がかなり進んでいて、残り枠は少ないと言われました。しかも、狭き門だと。

加えて、私は英語もできないし、マーケティングを学んだわけでもない。でも、やってみたいと思ったのです。だからグループディスカッション（面接）のときに、自分の思いを書いた手紙を持って行きました。外資系だから偉い人はおそらく外国人だろうと思い、アメリカ人の友人に英語に訳してもらって、ワープロが得意だった姉にタイプしてもらって、あたかもそれを全部自分でやったような顔をして会場でマーケティング本部長に渡したいと言ったら、本部長はなんと日本人の方でした。最終面接に進む前に、その本部長にこう言われました。

「あなたは、まったくの白紙の状態。でも、これからの伸びしろに賭けて、とりあえず最終面接に進めます。あとは頑張りなさい」

最終面接は、外国人のジェネラルマネジャーでした。私はたどたどしい英語と通訳の助けを借りて必死でしゃべり、なんとかギリギリ滑り込みでＰ＆Ｇジャパンに入社することになるのです。

そんなところから、私のマーケティングのキャリアは始まったのです。

目次

第2章

日本コカ・コーラで誰もできなかったお茶の再生に成功する

第3章

大きな3つの失敗からの貴重な学び
失敗は成功へのステップ

第4章

日本コカ・コーラで実は苦戦していたコーヒーを再生する

忖度は悪である

第5章

日本コカ・コーラで初めてのアルコール飲料を開発する

殻を破る勇気

第6章

「イノベーション」をイノベーションする

42の便益を活用せよ

第7章

ビジネスを必ず成功に導いてくれる8つの信念

私が大切にしている心の持ち方

おわりに

第1章

P&Gでマーケティングをゼロから学ぶ

消費者を理解することが出発点

「コーラック」「ウィスパー」
（ブランドアシスタント、アシスタントブランドマネジャー）
～「自分がユーザーではない」製品だから見えることがある

徹底して調査した「データ」がベースになる

P&Gに入社して最初に配属になり、2年間にわたって仕事をすることになったブランドが便秘薬の「コーラック」でした。そのときの私の直属の上司が、生涯私のマーケティングの師匠になる恩人です。この方が社会人になった私の最初の上司であったことは本当に幸運でした。ここで私はP&Gのマーケティングのイロハを徹底的に学ぶことになりました。

「コーラック」は、P&GがVICKSという会社を吸収合併したことがルーツになっていました。VICKSは医薬品メーカー。P&Gは洗剤などのイメージが強かったのですが、まるで医薬品の会社に入ったような感覚を持ちました。

便秘薬「コーラック」は薬局でよく売れている薬でした。便秘のことはまったくわからない私でしたが、その専門家にならないといけないと言われました。

当時、3人女性がいると、そのうちの1人は便秘に悩まれている。そしてそのうち3分の1は、なんらかの便秘薬を飲んでいる。「コーラック」のシェアは当時、約40%ありましたから、かなりの方に使っていただいている商品だったのです。

マーケティングの戦略は、徹底したデータをベースにして作られていきます。「ベースリサーチ」と呼ばれる調査には、かなりの予算がかけられていました。**調査の通称は「Habits & Practice」。消費者の習慣と行動です。**

医薬品はもちろんのこと、ランドリーなら洗濯まわり、ホームケアなら食器まわり、ヘアケアならシャンプー、またベビーケアなど、それぞれ大変な規模のリサーチを定期的に行っていくのです。それを研究開発本部や消費者のインサイト（隠れた心理）を探るチームが分析し、それぞれのブランドにとってヒントになる情報を上げてきてくれます。

この調査データを読むのを私は楽しみにしていました。前回に比べて**消費者の習慣や行動はどう変化しているのか。なぜ変化したのか。ブランドの価値はどう変わったか。自社ブランドは競合に比べて、どうなったか。**認知率、好意度など、さまざまなデータが出てくるのです。

どうしてそうなっているのかを分析し、どんな活動が改善のために効果をもたらすのかを考えていく。それこそメディアで広告を打ったら、マーケットシェアがどのくらい変化したか、というようなデータも出てくる。

これだけの調査をやっている会社は、そうそうないと思います。一方で、しっかり調査を行っているだけにデータに基づいた発想が求められます。データをベースにしていく力が徹底的に鍛えられるのです。

そして、こうしたリサーチをもとに、どこに課題があるのか、どこにビジネス機会があるのか、毎月、各ブランドがレポートを上げていきます。

売り上げやシェアはもちろん、この1カ月で何が起きたか、さまざまなデータから何を読み取ったか、今後やらなければいけないアクションなどをディスカッションし、ブランドマネジャーが英語で1枚のメモにまとめて会社に提出します。

それはファイルにまとめられ、ブランドマネジャーが代わっても、そのレポートを見れば過去に何が起きていたのか、すぐに理解できるようになっています。

もう一つ、よく覚えているのが、1年に一度作られていた「年間ビジネスレビューとイシューシート」です。ブランドの過去1年間のパフォーマンスと、イシュー（課題や問題点）を大切な順番にまとめ、2、3枚の紙に書いていく。たとえば、短期的なイシューはこういうこと、中長期的にはこういうこと。それに対するソリューション（解決策）はどんなもので、そのためにはどんなリソースが欲しいか、またリスクはどんなものかを書類にまとめる。

そうすることで、会社側はブランドに何が起きているのかを理解でき、また個々のメンバーもそれを共有しておくことで、ブランドの全体像を把握しながら、仕事をしていくことができるのです。

P&Gでは書類は基本1枚のメモに英文でまとめるのですが、最初の半年は自分の名前以外ほとんど残らないいくらい真っ赤な添削を上司から受けていました。上司からのコメントの多くは、WHY（なぜ）、HOW（どうやって）、Be Specific（もっと具体的に）でした。

便秘の人たちを集めて、モニターリサーチを行うことも度々ありました。便秘の方の実情をお聞きして、その苦しみを少しでも助けてあげたいと、気持ちはあせるのですが、なかなかいい提案ができません。

私が「コーラック」ブランドで残せた実績は、ピンクの小粒の「コーラック」のパッケージに中の錠剤が見えるように小窓を提案してつけたことと、漢方処方の「コーラックセンノファイバー」という製品の開発の手伝いでしたが、まだ丁稚《でっち》奉公の時代でした。マーケティングの基本であるデータ分析や、簡潔で説得力があるプレゼンテーションができるようになるまでのトレーニング期間であったと思っています。

昇進できない可能性もある「アップ&アウト」

入社してすぐにわかったのは、P&Gには「アップ&アウト」と呼ばれるカルチャーがあることでした。

誰もが経験を積み、年を経れば自動的にポジションを得られるわけではありません。私のマーケティング部門の同期は11人でしたが、同期の間でもシビアな競争が行われます。当時は5年以内に昇進しなければ、もう昇進の目はなくなるというのが暗黙のルールでした。退職しなければならないわけではありませんが、もう昇進はない、だから、マーケティング職から離れていったりする。それを受け入れる必要があるということです。

最初の肩書きは、ブランドアシスタント。昇進が決まるとアシスタントブランドマネジャーになる。早ければ2年目、3年目にこのポジションになります。

マーケティング職が所属する宣伝本部は当時100人ほどでしたが、全員が集まる場で昇進の内示が伝えられました。私より一足先にアシスタントブランドマネジャーになった同期もいました。昇進が決まると、3カ月間セールスのトレーニングに行って、帰ってくると別のブランドに異動していきます。

アシスタントブランドマネジャーになっても、さらに次のブランドマネジャーに上がるのは簡単ではありません。

ブランドアシスタントにできるのは、基本マーケティング戦略を構築するための分析と消費者向けのプロモーションのみ。しかし、アシスタントブランドマネジャーになると、新規パッケージの開発や製品開発、テレビ広告も手がけられるようになります。研究開発のチームやデザインチーム、外部の広告代理店などと一緒に仕事ができるようになるのです。誰もが、まずアシスタントブランドマネジャーになることを目標にしていました。

ブランドマネジャーはマーケティング職ですが、最終的には事業のファイナンスを把握し、損益計算書（ＰＬ）まで見て、損益に責任を持ちます。

アシスタントブランドマネジャー時代には、ブランドマネジャーのもとで年間の予算計画を作ったりします。こういう経験を3年、4年と積み、ブランドマネジャーになって部下を持てる状況になることが目標でした。

私は入社3年目にアシスタントブランドマネジャーになりました。そして3カ月間のセールストレーニングの後に異動したのが、生理用品の「ウィスパー」ブランドでした。「ウィスパー」への配属は、男性としては私が初めてでした。便秘に縁がなかったので私は「コーラック」を使うことはありませんでしたが、生理用品「ウィスパー」となったら、なおさらです。

しかし、マーケティング本部長の「和佐さんなら対応できるのではないか」という判断があったと後で聞きました。言ってみれば、モルモット実験のようなものです。ユーザーではないからこそ、客観的な意見が持てる、ということは言えるかもしれないと思います。

逆に言えば、**自分自身がターゲットにならなくても、マーケティングはできる。**いや、できなければいけないということです。

体重が10キロ近く減った、人生でもっとも厳しかった2年間

ただ、「ウィスパー」でのアシスタントブランドマネジャー時代は、私にとって人生でもっとも辛く苦しい2年間でした。体重は10キロ近く減りました。げっそりした写真が今も残っています。

きつかったことの一つは、やはり男性にとっては、なかなかショッキングな仕事が連続していったということです。研究開発部門のオリエンテーションでは、どこから経血が漏れていくのかという図解から始まりました。消費者が使用したものを回収させていただいたリターンパッドが研究所の冷蔵庫には大量にありました。

製品のクオリティを高めていくために、女性の声を聞くだけでなく、実際に使用してもらってのリサーチなど、さまざまな取り組みが進められましたが、男性の私が聞くのはちょっとためらわれる、ということも正直ありました。

こうした女性向けの商品だったという難しさに加え、当時の上司であるブランドマネジャーが、きわめて厳しい人だったのです。私は常時取り締まられ役で叱られてばかりいました。アシスタントブランドマネジャーとして分析をまとめた書類を、投げつけられたこともあります。

「どうなったら、こんな分析が出てくるのよ！　何回、同じことを言ったらわかるの」

この上司がもっとも重要視していたのは、効率でした。簡単なレポートは常に24時間以内に提出、東京に出張に行くときの飛行機の座席の指定から、電話応対にかける時間まで、分単位で指導を受けました。当時は部下を育てることがビジネスと同様に重要視されていて、学ぶ速度の遅い私をなんとか引っ張り上げるための愛の鞭《むち》だったのでしょう。しかし当時は正直きつかった……。

しかし、仕事を通じて、ブランドマネジャーというポジションの大変さもよく理解できるようになりました。大変なプレッシャーの中で、仕事をしているということです。業績も上げなければいけないし、部下も育成しないといけない。そんな中で、もっとも効率のいい方法はこれだという、私の上司のロジックがあったのでしょう。

アシスタントブランドマネジャーからブランドマネジャーになる。これは、ブランドのPLの責任を持ち、部下の育成もするP&Gのブランドマネジメントシステムの要のポジションへの昇進を意味します。上司や会社の期待値は高い、でもそこまでの実力がまだついていない自分とのギャップの中で悪戦苦闘した2年間でした。

それを乗り越えられたのは、「なんとかなる。最悪でも死にはしない」と前向きに、そして楽観的に物事を捉えようと努力したことと、こんな私を最後まであきらめずに、丁寧に厳しく指導してくれた当時の上司のおかげです。

「マックスファクター」（ファンデーション担当ブランドマネジャー）〜成功するためにもっとも必要なのは、「パッション」

7つあったブランドを2つにするというGMの決断

入社6年目で私はブランドマネジャーに昇進しました。11人の同期でたしか3番目のことでした。化粧品ブランド「マックスファクター」のファンデーション担当でした。ここで一つ忘れられないエピソードがあります。

「マックスファクター」は、1909年設立の化粧品メーカーでした。アメリカのレブロンの傘下にありましたが、1991年、P&Gが吸収合併しました（2015年にSK-Ⅱ以外のブランドをコティに売却）。

当時は、洗剤屋のP&Gが色気を出して老舗化粧品会社の「マックスファクター」を買収した、などと言われました。ある程度予想されていたことでしたが、吸収合併の移行はなかなかうまくいきませんでした。

「界面活性剤の匂いのする連中に、化粧品の何がわかるのか」というムードが、当時の「マックスファクター」内には漂っていたのです。

そこで、P&Gジャパンでも優秀な人材が抜擢され、「マックスファクター」に送り込まれていきました。「コーラック」時代の私の尊敬する最初の上司がまず「マックスファクター」に転籍し、さらには「ウィスパー」時代の厳しくも親身になって指導してくださった上司も異動していました。

実は私がブランドマネジャーになるのはその先のことで、まずはメインブランドの「マックスファクター」「SK-Ⅱ」以外のブランドのファンデーションとスキンケアをアシスタントブランドマネジャーとして担当しました。

このとき、忘れることのできない衝撃的な出来事が起こります。**会社の方針で、「マックスファクター」と「SK-Ⅱ」以外の製品のマーケティングを全部やめる、**と化粧品のすべてを統括していたジェネラルマネジャーから発信があったのです。

まさに私が担当していたのが、「マックスファクター」と「SK-Ⅱ」以外の製品でした。私の担当ブランドはどうなるのか。私の仕事はどうなるのか。私は当時のジェネラルマネジャーに直談判に行きました。

「このブランドがなくなったら、私が困るというより、お客さまが困ります」

「私が持っている数百のSKU(ストック・キーピング・ユニット/受発注・在庫管理を行

う場合の単位）の中には、すごく売れていて、利益率の高いものがある。少なくとも、それは残しましょう」

しかし、GMは容赦ありませんでした。毎月のようにビューティカウンセラーと呼ばれている美容部員の女性たちが本社に呼ばれ、「どのSKUを切るか」というリストづくりの会議が開かれました。

美容部員たちも必死でした。泣きながら、訴えました。

「それを切ることの意味がわかりますか。『マックスファクター』と『SK－Ⅱ』を売っても、隙間商品としてのこの商品がないと、一連のカウンセリングのステップが完成しないんです。どうにか残してください」

何品かの例外はありましたが、基本このGMの決断は揺るぎませんでした。結局、1500あったSKUは、500SKUになりました。7つあったブランドは「マックスファクター」と「SK－Ⅱ」だけになり、SKU数は3分の1になってしまったのです。

ところが、このGMの決断は正しかったことが後にわかります。いわゆる「選択と集中」によって、大成功するのです。そして私自身も、ここから周囲も驚く快進撃ともいえる結果を、次々に達成することになります。

松嶋菜々子さんを口説いた全力の「戦略」

2年間の「マックスファクター」時代、ブランドマネジャーとしてブランドを大きく伸ばすことができたのですが、その最大の要因は、ブランドの顔ともいえるブランドキャラクターに、松嶋菜々子さんを据えたことだったと思っています。

今は大女優の松嶋さんですが、当時はNHKの朝の連続ドラマ「ひまわり」の主役に抜擢される一方、とんねるずのバラエティ番組で「仮面ノリダー」に登場するなど、お笑いにも対応できる、なんともチャーミングなキャラクターでした。

その清楚でかわいらしく新鮮なイメージは、「マックスファクター」というブランドを新たに打ち出していくにあたって、ぴったりだったのです。

ただ、残念ながら当時の「マックスファクター」は、競合だった資生堂やカネボウ化粧品、コーセー等に比べると、すべての規模が小さく、ブランド力もまったく足りていませんでした。それだけに、「マックスファクターの顔になってほしい」と要望しても簡単にいくはずがない、と覚悟をしていました。

実際、タレント契約も、ほとんど大手の競合によって青田買いをされてしまうのです。ブレイクしそうな若いタレントには、ことごとく大手化粧品メーカーが目をつけていました。

ブランドキャラクターを選定するにあたり、まず始めたのは、タレント名鑑とにらめっこすることでしたが、数年先まで競合と契約が決まっている、というタレントも少なくありませんでした。

そんな中、ブランドキャラクターの候補リストのトップに挙がったのが、松嶋菜々子さんだったのです。

当時、担当してもらっていた外資系の広告代理店に相談し、「松嶋さんと少し話をしてみたいから、一度、会わせてほしい」とお願いをしました。ところが、こんな声がすぐに返ってきました。

「もう大手の化粧品メーカーから声がかかっているので、マックスファクターさんからの話を聞くことはできません、と事務所から言われました」

なんとも残念な返答でした。私は「いやいや、直接、会って話をしたい。それでノーと言われたらあきらめるけれど、そうでなければあきらめきれない」と伝えました。代理店からの返答は、「いやぁ、そう言われても」でした。

率直に、代理店のパワーがちょっと弱い、と私は思いました。当時、「マックスファクター」は、グローバルでブランドごとにどの代理店を使うかを決めていたのですが、私は個別で動いてみることにしました。

タレントと契約するには、やはり国内の代理店が強いと思ったのです。そこで、「この案件に関しては、他の代理店を使わせてもらう」ということで担当代理店には承認をもらい、

「ウィスパー」時代にお世話になった国内の代理店に「30分でいいから、松嶋さんに会う時間を作ってもらえないだろうか」と相談してみました。そうしたら、時間を取ってもらうことができたのです。

私は戦略を練りました。私の決断は、これでした。

私が行くのではなく、「マックスファクター」の社長が行く。当時のイタリア人社長に、花束を持って会ってもらう。

話す内容は私が考えました。大手化粧品メーカーには、10人、20人とブランドキャラクターがいます。テレビでの露出を平均すれば、実は年間2000〜3000GRP（グロス・レイティング・ポイント／一定期間に放送されたテレビCMの視聴率を合計したもの）になる。

しかし「マックスファクター」の顔になれば、一人で5000GRP。5年の長期契約となれば、5年間で2万5000GRPになる。もちろん数十億円の予算を用意する。今後のことを考えたら、**大手のワンオブゼムより、「マックスファクター」のオンリーワン（1社の顔）になってほしい。**我々のパッションを感じてほしい……。

通訳を介し、このイタリア人社長は懸命に話をしてくれたそうです。そうしたら、「私はできればここでやりたい」という言葉が松嶋さん本人から出たと聞きました。

実際、松嶋さんは「マックスファクター」の顔になり、後にテレビドラマ「やまとなでしこ」で大ブレイクすることになります。「マックスファクター」にとっても、松嶋さんにとっても、素晴らしい結果を生み出すことができたのです。

最初に代理店に相談をし、「難しいそうです」と言われてあっさりあきらめたら、その後はありませんでした。また、私が行くのではなく、社長が行ったこともインパクトがあったと思います。

粘り強く、パッションを持って挑むことの大事さ、そして戦略的なアクションを作ることの大事さを、このときにあらためて痛感したのでした。

「マックスファクター」のビジネスを伸ばした実績が買われ、私は新たなステージに立たせてもらうことになります。

「SK-Ⅱ」（ブランドマネジャー）
～その商品の「価値」をもっとも伝えられる戦略を考える

日本発の「SK-Ⅱ」を世界で売る

入社６年目からブランドマネジャーになった「マックスファクター」ではファンデーション担当でしたが、これを大きく伸ばしたことで、今度は入社７年目から「SK-Ⅱ」全体のブランドマネジャーに抜擢されることになりました。約４００億円の売り上げを持つブランド全体を任されることになったのです。

「SK-Ⅱ」は、ある研究者の気づきから始まりました。**長年にわたって日本酒造りに携わってきた杜氏《とうじ》の手が、高齢なのに若々しい肌をしている**ことです。それが、酵母の効果だと確認しました。

酵母から「ピテラ」という天然由来の保湿成分を抽出。これを使って、１９８０年代に立ち上がった化粧品ブランドが「SK-Ⅱ」でした。SKは「Secret Key（秘密の鍵）」の略です。人間の皮膚は、28日周期で不活、古いものが取れて、新しい細胞に生まれ替わっています。そのときの細胞の不活作用を助けるためにＮＭＦ「Natural Moisturizing Factor」という天然保湿因子が生成されます。しかし、加齢や外的要因でそのＮＭＦが不足し、肌に不調をきたすのです。

普通の化粧品は、さまざまな原材料を混ぜて作りますが、「ＳＫ－Ⅱ」は違います。ビールのように発酵タンクに入れて作るのです。

特別な酵母に、ある栄養素を与え、それを増殖させていきます。そのときに酵母細胞の不活作用を助けるために、人間の細胞に限りなく近い組成やＤＮＡを持つＮＭＦを生み出します。

発酵タンクの中で、そのＮＭＦだけを取りだし、それを2分の1に圧縮して、90％以上の純粋なＮＭＦにしたものが、「ＳＫ－Ⅱ」の基礎化粧品なのです。

ただ、無菌室で作るのに数日を要します。だから、1本1万５０００円という価格になる。まさに、高級化粧品です。

当時は、日本と香港、台湾で売られていました。その４００億円規模のブランドを、西洋に打って出て１０００億円にしようというプロジェクトを、ブランドマネジャーとして私は担ったのです。

香港と台湾には、それぞれの国にブランドマネジャーがいるので、基本的に私は日本を担当していたのですが、「マックスファクター」と「SK-Ⅱ」のGMの指示のもと、「SK-Ⅱ」の西洋への展開も委ねられることになりました。アメリカやヨーロッパで、どうすれば「SK-Ⅱ」という製品が展開できるのか、という戦略を練るミッションです。

ニューヨークのホテルに1週間滞在して、化粧品やハイブランドを扱うPRエージェンシーに対して、毎日1社、「日本の『SK-Ⅱ』というのは、こういう製品である」とブリーフィングをしていきました。

ブリーフィングが終わると、各社から西洋の人たちに化粧品として売り出すときのPR戦略が提案されてきます。そこから1社を選定。さらにデザインエージェンシーを決めたり、フォトグラファーを決めたり、グローバルに打って出るときの基本戦略をまとめたりしました。さらに「SK-Ⅱ」のグローバル化を担うブランドマネジャーを海外で雇用。一緒に戦略を推し進めました。

当時のPRビデオを今も覚えています。杜氏の人たちや僧侶に出演してもらって、アジアの東洋美をシズル感を持ってアピールしました。なぜ日本人や韓国人は肌が美しいのか。そんなメッセージは、西洋人に強烈に突き刺さりました。

今では「SK-Ⅱ」は主要マーケットの空港の免税店にも置かれ、世界で約3000億円の売り上げを誇る、P&Gの看板商品の一つに成長しました。その基盤を作ったのは私であるという自負を持っています。

化粧品に「ガンプラ」のアイデアを注入

同時に日本では、「SK－Ⅱ」のファンデーションの画期的なイノベーションを開発しました。これが大ヒットになった「エアータッチファンデーション」です。

当時の一般的な消費者は、ファンデーションをパウダーでもリキッドでもパフで塗っていました。ここで、「コーラック」や「ウィスパー」のときにそうだったように、**ユーザーでない私の客観的な視点が出てきます。どうしてパフで塗るのか、と。**

私の中で「塗る」と言えば、思い浮かんだのが、ガンダムのプラモデルでした。いわゆる「ガンプラ」です。**「ガンプラ」を綺麗に作るのにパフを使って塗る人はいません。上級者はエアーブラシを使って塗る**のです。

同じように**ファンデーションもスプレーみたいに塗れないか、**と研究開発部門に聞いてみたら、「そんなことはできない」という。そこで、電機メーカーの松下電器産業（現パナソニック）に相談をしました。タンク内で静電気が起きる難しさはあったのですが、それを時間をかけて製品に結実したのが、「エアータッチファンデーション」でした。高価なファンデーションになりましたが、爆発的に売れ、その年の化粧品新製品の賞レースを総なめにしました。

国内で、さらにグローバルで「SK－Ⅱ」を大きく伸ばしたことで、私はなんと2階級昇

SK-Ⅱエアータッチファンデーション

進を果たすことになります。通常はブランドマネジャーの後、アソシエイトディレクター、さらにはディレクターというポジションになるのですが、一気にディレクターに昇進したのです。

マーケティングの枠を飛び出し、「SK-Ⅱ」「マックスファクター」全体の美容部員のカウンセリングチームのトップになる。また、ヘアケアなどのシャンプーも含めた美容ケアの販売チャネル戦略、セールス計画を担う部長になってくれ、と言われました。

すでにグローバルでは、「SK-Ⅱ」は高級化粧品のポジショニング確立のための展開を始めていました。日本人の美しさは、肌が透明で美しいというイメージ。しかも、値段が一般の化粧品に比べてきわめて高い。

そこで、フラッグシップとなる超高級百貨店および免税店でしか展開しないようにする戦略を取りました。**安く販売するところには置かない戦略**です。これが、ブランドの構築に大きな意味を持ちました。

しかし、日本ではこれが簡単にはいかなかった。メーカーの姿勢は、基本的に店頭に「置いてください」という商談です。いわゆるドラッグストアでも展開されている。しかも、メーカー希望小売価格ですから、価格についてはこちらから言及できません。

「3割引」といった値札がついてしまうと、高級化粧品としてのイメージを毀損《きそん》してしまいかねない。そこで私が考えたのは、少なくとも「カウンセリングをしっかり行ってほしい」というお願いでした。

売り場において、**カウンセリングの場所を確保してもらうのです。そして、美容部員を置く。カウンセリングをしないと売れません、と伝えたのです。**

中には、「それは何かい、うちには商品を置かないと言っているのか」とストアの経営者から返されたこともありました。しかし、消費者のためには美容部員から正式なカウンセリングを受けることが大切ですと力説し、何とか要望を受け入れてもらいました。

また美容部員のカウンセリングについて、教育体制を整えていき、さまざまなセールス戦略を考えていきました。約2年半、マーケティングを離れた仕事をすることになりました。

当時はまだ30歳。3人の部下は、すべて私より年上の先輩たちでした。経験豊富な部下や年上のチームをマネジメントするという点でも、新しい経験をすることができました。

そして、再びマーケティングに戻り、委ねられることになったのは、P&Gの母屋でもあり、当時苦戦していた領域でした。

「ジョイ」（ホームケア担当マーケティングディレクター）～ターゲットの「隠れた心理」から徹底して考える

「食器洗いをするお母さん」が必要としているものは？

当時、P&Gの本丸ともいえる洗剤やホームケアカテゴリーが不振に陥っていたのです。

「ジョイ」は、長くタレントの高田純次さんが出演していたCM「チャレンジジョイ」のキャンペーンで人気を博していました。

ご家庭を高田さんが訪問し、カレー鍋など油汚れの激しいものに「ジョイ」が強いことを映像を使ってアピールしていく。「油汚れにジョイ」というキャッチフレーズも、とてもわかりやすくて、いいキャンペーンだったと思います。

「ジョイ」は食器洗い洗剤のカテゴリーでナンバーワンブランドになっていました。ところが、近年売り上げの伸びが止まってしまっていたのです。そこに、競合がじわじわと後追いをしてきている状況でした。

高田さんが登場するキャンペーンは、たしかに効果を生んだ、とても素晴らしいものでした。しかし、キャンペーンというのは、永遠に支持されるものではありません。しつこくテレビCMを展開しても、「ああ、またあのキャンペーンだ」となってしまうのです。

そこで、私と当時のジョイのブランドマネジャーが代理店に新しいキャンペーンを作ってほしいと依頼をかけました。しかし、高田さんのキャンペーンが大人気だっただけに、リスクが高いと代理店は及び腰です。

私は、**100年続くキャンペーンはない**、どこかで変えなければいけない、まずはテストマーケティングをやってみよう、と言いました。一方で高田さんのキャンペーンも残し、その差を見ればいいじゃないか、と伝えたのです。

そして北海道で始めたのが、「ジョイくん」というキャラクターを使ったテレビCMでした。**マーケティングで重要なのは、いかに消費者のインサイト（隠れた心理）をうまく捉えられるか、**です。「コーラック」にせよ、「ウィスパー」にせよ、「マックスファクター」や

「ＳＫ－Ⅱ」にせよ、製品がインサイトをうまく捉え、かつまたマーケティング活動もインサイトを捉えることができたからこそ、ヒットしたのです。

「ジョイ」もまた、インサイトをまさに捉えることができた、わかりやすくて大きな成功例だと思います。

インサイトを理解するために私がチームのメンバーに伝えたのは、食器洗いというのは、どのようなシチュエーションで行われているのか、徹底的に洗い出してみてほしい、でした。たとえば土曜日の夕方7時前。小学生の男の子の兄弟のいる家庭で、子どもたちの大好きなカレーライスを食べる。7時から始まる巨人×阪神のプロ野球中継をお父さんも子どもも楽しみにしている。おいしそうにカレーを食べ終えると、「ごちそうさま」と言って、３人はテレビの前に行き、盛り上がる。残されたお母さんの前には、カレーライスのお皿とカレー鍋。「この油汚れ、大変なのよね」と、盛り上がる子どもたちをよそに、ちょっぴり元気をなくすお母さん。それが当時の一般的な風景でした。

そこに登場するのが、「ジョイくん」。「お母さん、ボクが応援するから一緒に頑張ろうよ」。

擬人化されたキャラクター「ジョイくん」は、こうしてお母さんを応援してくれる。

お母さんの嫌いな家事ナンバーワンはアイロンがけです。そして2番目が、食器洗いなのです。この2番目に嫌いな食器洗いを助けてくれるキャラクターが登場したら、面白いドラマができるのでは、と考えたのです。

ナホトカ号の重油流出事故で、いち早く「ジョイ」を寄付

インサイトは、チームのみんなでディスカッションしていきました。そして、「ジョイくん」というキャラクターを生み出すことができたのです。

実は当初は「ジョイくん」は小さなボトルキャラクターの「しゃべるジョイくん」でした。でも、これではドラマがあまり生み出せないのでは、ということで、「大きなジョイくん」にすることにしました。

それも、かわいくてもダメだし、嫌われてもダメだし、ちょっとクセのあるキャラクターが良かった。声も大事です。私は方向性が決まった後は基本的に任せる主義なのですが、このとき一つだけノーと言ったのが、「ジョイくん」の声でした。

チームが提案してきたのは、ある漫才師の声。しかし、私は直感的に違うと思いました。お母さんを応援してくれるのは、子どものほうがいい。だからジョイくんの声は子どもであるべきなのです。実はすでにその漫才師と契約の寸前だったのですが、私はこれだけは絶対に譲ることができない、と言いました。

それで関西弁の男の子を起用し、「ジョイくん」の表情もいろいろなパターンを作り、練りに練って北海道でCMをスタートさせたら、なんとシェアがぐんぐん伸びていったのです。

こうして「ジョイくん」のキャンペーンは全国に展開されることになります。

売り上げの伸びが鈍化していた「ジョイ」は、久しぶりに勢いを取り戻し、大きく成長していくことになりました。新しいキャンペーンは、大成功を収めるのです。

この「ジョイくん」で、一つ強く覚えている事件があります。日本海で大型タンカーのナホトカ号が座礁し、重油が海に流れ出すという大事故が起きたときです。

油汚れに強いけれど、かつまた肌にもやさしい。だから、海外で重油の流出事故があったとき、「ジョイ」（海外名「ＤＡＷＮ」）は海鳥を洗うのに使われたという実績がありました。

それを思い出した私は部下に、「今すぐ『ジョイ』をナホトカ号に持っていってください」とお願いしました。部下が日本野鳥の会に連絡を入れたところ、「ありがとうございます。実は以前から、何かあったときには『ジョイ』を使わせてもらっていました。もちろん寄付いただけるのはありがたいです」という返答がありました。もちろん、たくさんの「ジョイ」を寄付しました。

この話を、テレビＣＭにしました。「ジョイくん」が語るというバージョンのＣＭがあります。**「ジョイくん」は自分で日記を書きます。「今日、ボクはすごくいいことをしました。オイルタンカーが座礁して、オイルが流れて困っている、ベトベトになった鳥たちを、ボクで洗ってきれいにして返してあげました」**

こんな絵日記を書いている「ジョイくん」のＣＭを展開すると、ニュースで衝撃が走っていただけにものすごくタイムリーで、「ジョイ」という製品への好感度が上がりました。愛着を持ってもらえるようになったのです。

インサイトの重要性をあらためて痛感するとともに、過去に自分が持っていた情報（これを私はドットと呼んでいます）を組み合わせる（コネクティングする）ことで、新しい取り組みが生まれる（コネクティングドット）、ということにもはっきりと気づくようになります。

新しいアイデアは、まったくゼロから生み出されているわけではありません。自分が経験した何ごとかと、今の課題を組み合わせたりすることで、生み出されていく。そんな「コネクティングドット」こそ、新しいアイデアやイノベーションの源泉になるのです。

これについては、後に詳しく書き記します。

「ファブリーズ」「レノア」「ボールド」「アリエール」（ホームケア担当マーケティングディレクター）
〜ストーリーで商品を使うシーンを広げてみる

「ファブリーズ」を爆発的に伸ばす取り組み

ホームケアでもう一つ、新たな取り組みを進めて大きな成果を出すことができたのが、「ファブリーズ」でした。布にシュッとスプレーすると消臭ができるという製品です。夏の暑い日に水をまくと、涼しくなります。そのメカニズムは、水が蒸発しているからです。このとき、蒸発と同時に臭いも一緒に取ってくれるメカニズムを持っているのが、「ファブリーズ」です。これを、P&Gの研究開発部門が見つけてきたのです。

科学的に効果が実証されています。サイクロデキストリンという繊維質が入っていて、臭いの分子をカプセルに閉じ込めることで臭いを取り除いてくれる。

「ファブリーズ」は特に日本で大きく成功したのですが、もっと可能性があるはずだ、と

「Consumption Explosion 戦略」をチームで考えました。消費量を爆発的に増やしていくために、考えられることはすべてやってみよう、という取り組みでした。

きわめて単純な取り組みもあります。より効き目を得てもらおう、と液体が出る穴をちょっとだけ大きくする。スキンケアでは、消費者はたとえば化粧水を2回か3回振って手にとります。このとき、穴の大きさで出る液体の量は決まるのです。

もちろん、出過ぎてしまうと逆効果です。「これ、無駄じゃないか?」と思われてしまう。だから、もっとも適切なギリギリの穴の大きさというものがあるのです。これを化粧品でやっていることを知っていたので、「ファブリーズ」でやっているのかと聞くと、やっていないと言います。

そこで「ファブリーズ」の場合も、効き目がもっとも高まる量を研究開発で調べてもらいました。そして、その量を調整することから始めたのです。実際、出る量が増えれば、それだけ消費量も増えます。これだけで5%ほど売り上げが伸びたのです。

次は「ファブリーズ」の横展開です。つまりは、対象とするアイテム数を増やしていくということ。

できるだけ大きなものが、消費量が多い。となれば、カーテン。さらには布団。では、どういうストーリーを伝えていけば、カーテンや布団に「ファブリーズ」を使ってもらえるのかを考える。それをテレビCMにして展開する。

大きなものの次は、特に困っているもの。焼肉を食べた後や飲み屋に行った後の洋服。お父さんの枕の汗。思春期の子どもたちの運動靴……。これもインサイトです。

チームでディスカッションして、どんなシチュエーションで、どんなアイテムがあるのか、徹底的に出し合いました。それから、それを面白おかしく、いかにストーリーにしていくかを考えました。そしてテレビをはじめ、さまざまな媒体でコミュニケーションしていく。

布団を干しているときに、爽やかなお日さまの下で「ファブリーズ」をシュッ。お布団は、さっぱり。お父さんが家に帰ってくると、どこで食べてきたのか、鼻をつまむくらい臭い。そこで、「ファブリーズ」でシュッ。

後には、除菌効果を付加しました。さらには芳香効果も付加していく。菌だらけだったソファを、「ファブリーズ」でシュッと除菌。お日さまの香りのする「ファブリーズ」で天日干しにシュッ。

「ファブリーズ」はどんどん売れていきました。

ありそうでなかった「置き型ファブリーズ」

さらに、私と私のチームが発案したのが「置き型ファブリーズ」です。これは私自身がインサイトを持っていました。トイレの消臭剤や芳香剤の匂いが、実はかなり強烈だったことです。

従来の芳香剤は、消臭効果よりも、強烈な匂いを漂わせることで、トイレの臭さを隠していたのです。しかし、「ファブリーズ」なら、臭いそのものを取り除くことができます。

もう一つのインサイトは、既存商品はデザインがダサかったこと。できれば隠して置くのではなく、インテリアとして飾りたくなるようなデザインにする。この2つのインサイトは、私自身のインサイトでもあったのです。そこで、研究開発チームにお願いしたのでした。

おそらく多くの人が、このインサイトを持っていたはずです。ところが、「トイレの芳香剤というのは、こういうもの。しょうがないよね」と思い込んでいたのだと思います。ここが、イノベーションの面白いところです。実現されていないインサイトは、今もたくさんあるはずなのです。

研究開発チームが頑張ってくれました。あの「置き型ファブリーズ」は、無香料でも臭いをかなり取り除いてくれます。科学的にとても優れた機能を持っているのです。だから、芳香剤として強烈なものにする必要がなかった。ごまかしの匂いはいらなかったのです。

森林に入って、嫌な匂いを感じる人はいないと思います。実際には、動物や昆虫の死骸がたくさんあるにもかかわらず、森にはそうした死臭が漂っていない。それどころか、清々しい空気が流れている。これは、フィトンチッド効果と呼ばれています。

私が研究開発にお願いしたのは、人間が森林浴で嗅ぐときのような気持ちのいい香りにし

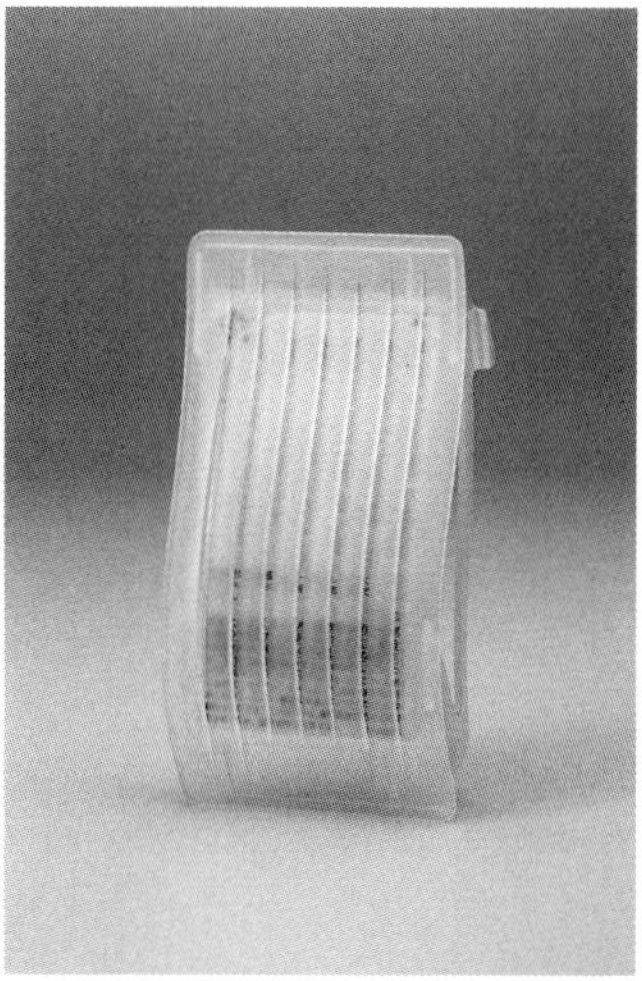
置き型ファブリーズ

てほしい、ということでした。それは、人間の気持ちを心地良くするのです。

私と同じようなインサイトを持っていた人はたくさんいたのだと思います。インテリアに求められる装飾性もあり、森林浴のような香りの「置き型ファブリーズ」は、これまた大ヒットすることになります。

「置き型ファブリーズ」は、ありそうでない製品でした。それを世に送り出すことができたのです。「臭いが取れる」という機能が求められている中で何をやるか、アイデアはたくさん出ました。

その中で、もっとも現実味があって、しかも競合はここにウイークポイントがある、というところに向かいました。もちろん、アイデアだけではなく、しっかりと調査をした上で結論を出しました。

製品を横展開するときには、どんなカテゴリーがあるのか、徹底的に洗い出すことが大切です。その上で、消費者インサイトとして勝算があるのか、またテクノロジーが追いついてくるか、マーケットサイズはどれくらいあるか、マーケットは伸びているのかをすべて調べてから、優先順位をつけました。
そして「ここなら戦略的に行ける」とトイレの「置き型ファブリーズ」への展開となったのです。後にはこの延長線上に、車向けの「ファブリーズ」にも展開は広がっていきました。

洗剤のCMに草彅剛さんを起用した理由

ホームケアで大きな成果を次々に出すことができ、次に委ねられたのが、ランドリーでした。洗濯用洗剤です。この領域は、きわめて厳しい状況にありました。赤字になってしまっていたのです。

商材には、儲かる商材と儲からない商材があります。洗剤の大きな特色は、基本的に安価だということです。売り場で、チラシ商材になり、たたき売りされてしまう。当時は粉末洗剤が多かったのですが、工場に行って驚くことがありました。

製造工程があまりにも複雑で、「これはコストがかかるな」と思ったのです。粉末洗剤は、作るときに液体の洗剤を高いところまで上げ、熱風で高温にして粉になって落ちてくるところを捉えて、大きな機械でプレスをかけ箱に詰めていたのです。

300円くらいで売っているならいいのですが、これを100円台という価格で売っていたのでは、とても利益は出ません。

ただ、私がちょうどホームケアをやっていたときは、市場は粉末洗剤から液体に変えようという動きが起き始めたころでした。今では、液体洗剤がメインになっています。液体の方が、粉残りもないですし、いろいろな成分が比較的簡単に入れられます。それで、どんどんこちらにシフトしていきました。

粉に比べれば利益率はいいし、ユーザーのメリットも大きい。当時すでに、キューブに入っていたものを開発していましたし、関連商品で、消臭効果のある柔軟剤「レノア」「ボールド」などのマーケティングも功を奏して、ランドリーがまた大きく売り上げを拡大していったのです。

運が良かった、というのも大きいと思います。粉末洗剤がなかなか売れず、利益としても苦しかったものが、液体にシフトしていくタイミングで、その波に乗ることができた。

また、香りに特徴のある「ボールド」では、思い切った戦略と優秀な代理店のユニークで好感度の高い広告を次々に世に送り出すことができ、売り上げを大きく拡大させていきました。

「アリエール」では、当時SMAPの草彅剛さんをCMに起用し、大きな支持を得ました。

今、洗剤の広告には男性がたくさん出ていますが、その走りはこの広告だったと思っています。

かつて洗剤の広告は、「ユーザーは女性」という固定観念が強く、同年代の女性が家事を

頑張っているシーン、というものがほとんどでした。しかし、消費者インサイトは本当にそうなのか、と私は思ったのでした。

先の「ジョイくん」ではありませんが、ユーザーが求めていたのは、何だったか。誰の顔を見て、その話を聞きたいか。それを考えたとき、「女性が登場する」以外の選択肢が間違いなくある、と思ったのです。

実は草彅さんへの依頼は、当初事務所からノーの答えが返ってきました。しかし、私の部下のブランドマネジャーからなぜ草彅さんに出演してもらいたいかを手書きで書いた手紙を出してもらい、最終的にＯＫをもらうことができました。

世間のお母さん方は、毎日ものすごく、頑張っている。でも、誰もほめてくれない。だから、彼女たちの頑張りに対して、**本当は夫であるお父さんが思っている「口に出しては言えない感謝の気持ち」を代弁してもらえないだろうか、**とメッセージしたのです。

ちょっと照れくさくて表では言えないけど、頑張っていることはちゃんとわかっているよ、というお父さんのインナーボイスをお母さん方に伝えてもらう。ちょうど草彅さんがお父さん役でドラマをやっていたこともあり、彼が適役だと思ったのです。

このＣＭは、日本にいるたくさんのお母さん方の応援歌になる。だから、ぜひお願いしたい、と。こうして、快く引き受けてもらえたのでした。

ただし直接ほめられたりするのは、ちょっと違うのです。だから直接のメッセージにはしない。でも、ちょっと気にしてくれている。ここがまた、インサイトでした。たとえば、草彅さんがホテルに泊まると、ホテルのタオルの臭いがちょっと気になった。家では臭いなんてしたことがない。ああ、家では頑張ってくれているんだな、とあらためて思う。あらためて、感謝する。

かつてなかった、男性が洗剤の広告に出るという草彅さんのCMも、大きな反響を得ました。そして「アリエール」もまた、液体洗剤へとシフトする世の中の流れとの相乗効果で大きく売り上げを伸ばしていきました。

マーケティングの「型」

WHO　ターゲット

WHAT　何を

HOW　どのように

マーケティングの型「WHO」「WHAT」「HOW」

P&Gのマーケティングには、「型」があります。シンプルに言えば、「WHO」「WHAT」「HOW」です。WHOはターゲット、WHATは何を、HOWはどのように。この3つを、マーケティング的に突き詰めていくのです。

どのブランドであっても、まずはWHOから始まります。ターゲットには意思があり、課題があって、インサイトがある。だから、徹底的にWHOについて考えることが必要になるのです。

リサーチのデータも活用しながら、心理的なことも含めて徹底的に勉強する。たとえば「ジョイ」の場合、「ジョイくん」のキャンペーンがヒットしたのは、「『ジョイ』が油汚れに強いから」だけではないのです。「ジョイ」は、自分の味方をしてくれる、自分の応援をしてくれるブランドだから、です。もっと言えば、「なんとなく自分の味方になってくれそうな、悪ガキのようなキャラクターに親近感を持てたから」なのです。

いいブランドというのは多くがそうなのですが、ファンクション＝機能の部分と、エモーション＝感情の部分があって、WHOではファンクションだけではなく、エモーションについても徹底的に考察することが求められます。むしろ、**ファンクションじゃないところのインサイトこそ、掘らなければいけない。**

たとえば、日本では「iPhone」のシェアがとても高いのですが、なぜみんな「iPhone」を買うのか。それは持っていて、カッコイイからでしょう。持っていると、クールに見えるから。ファンクションももちろんいいわけですが、このエモーションの部分が、製品選択においては、とても大きな意味を持つのです。だから、デザインのカッコ良さはとても大切になります。それは、人間の根本的な承認欲求なのです。

ランドリーを担当していたときには、清潔好きな女性は、どうしてそんなに家を清潔に保っておきたいのだろう、という疑問を持っていました。ものすごく細かいところまで努力して、家を清潔に保ちたい、という人たちがいるのです。

そうした人たちについて徹底的に調べていくと、やはりいろんなことが見えてきます。家族にほめられようがほめられまいが、自分がこうしたい、という人もいる。洗濯するときの手順やたたみ方一つとっても、いろんなことが見えてくるのです。

ですから、とにかくWHOを徹底分析する。さまざまなタイプを想定し、家族構成もイメージし、どんな状況にいるのか、いくつもペルソナ（仮想ユーザー像）を作る。

あるタイプの人に対しては、この商品はどうか。別のタイプの人には、ファンクションとエモーション、両面から商品はどう見えるか。

WHOの理解があり、インサイトがあり、その上にイシュー＝課題がある。イシューに対するテクニカルな解決策は何なのか、という「WHAT」に向かう。それをどう届けるのか、という「HOW」に向かう。

マーケティングというのは、大きな意味での定義は、「継続的にモノが売れる仕組みづくり」です。継続的に売れるということは、利益が取れるということ。かつ競合が来ても負けない差別化があること。そのためには、戦略的な強み（これをエッジと言います）を設定しなければなりません。

マーケティングは、こうしたすべての活動のことを言うのです。ただCMを作ればいいというものではありません。

テレビCMを1本作るにも、精緻なテストを行う

マーケティングとは具体的に何をするのか。端的に言えば、まずは認知してもらうことです。製品を知ってもらわないといけません。それから、好きになってもらう。しかも、買いたいくらい好きになってもらうのです。買ったら、他人に勧めてみたくなるくらいになる。今なら、ＳＮＳにアップしてもらう。

こういう状況になるまで、「ＷＨＯ」「ＷＨＡＴ」「ＨＯＷ」を繰り返していくのです。ですから、マーケティングのディスカッションになると、「え、それってターゲットのインサイトのどこに触れているの？」「テクニカルソリューションは、それで本当に消費者のイシューを解決しているの？」「それは継続性があるの？」といった質問が飛び交います。

テレビＣＭを1本作るにしても、実際に広告を打つ前にテストを走らせます。Ｐ＆Ｇ時代には、きわめて精緻な独自のテストの方法がありました。

まずは４００人くらいの人に、30分の番組を見てもらう。番組内のテレビＣＭの中には、Ｐ＆Ｇの新しい商品のＣＭが入っています。そして、半分の２００人には帰ってもらって、２００人を残します。

そして質問をします。

「実は番組には広告が入っていたんです。その広告をもう一度、見てください」

さらにこんなふうに次々に問いかけていきます。

「この広告を覚えていますか」「何を言おうとしていたと思いますか」「この広告は、どちらかというと好きですか、嫌いですか」

一方、帰ってもらった200人には3日後に問いかけます。

「3日前に番組を見てもらいました。番組内で流れていた広告を挙げてください」

こう問うと、「ああ、そう言えば、なんだか新しい商品の広告があった気がします」などと返ってくるので、再び問います。

「どんな広告を覚えていますか」「何に役立つと思えた広告でしたか」「ブランド名は何でしたか」

3日後に聞いた200人はどう反応したか。一方で、じっくり見てもらった200人はどう反応したか。この調査結果を見て、広告を出すかどうかを判断したり、改善していったりするのです。

調査結果には、総合指数がつけられていました。**データベースには過去の数百本のCMや、商品が実際に売れたのかというさまざまな情報が、競合のデータも含めて入っています。評価は5段階に分かれていて、指数でトップランクに入らなければ、CMの許可は出ませんでした。**制作には数千万円かかることもありますが、それでもお蔵入りになる場合もあります。

実は私も「ウィスパー」時代に一度、「お蔵入り」を経験しています。社会人になって初めて手がけたＣＭでした。思い切ったチャレンジで、人工経血が入った封筒をハサミで切っても、その封筒の切り口も表面もきれいなままというデモが入ったＣＭを作ったのですが、女性の立場から「頭では理解できるが、感情的にそうは見せてほしくなかった」と言われてしまったのです。

私が初めて担当したテレビＣＭは、撮影も編集もすべて終了していたのに、最後の最後でお蔵入りという判断になってしまいました。

Ｐ＆Ｇはそれくらい厳しくやるのです。

なんとなく作って、なんとなく宣伝しない

テレビＣＭはあくまでマーケティングの一部分です。日本のマーケティングというと、宣伝のイメージがとても強いですが、それはまったく違います。

Ｐ＆Ｇはマーケティングの会社とよく言われますが、Ｐ＆Ｇの強さは、研究開発に携わる人たちの多くがマーケティング頭脳を持っていることだと私は思っています。彼らが「ＷＨＯ」「ＷＨＡＴ」「ＨＯＷ」を徹底的にやっているのです。

実は、洗剤にしても、紙おむつや生理用品などの紙製品にしても、かなり先端のテクノロジーが使われています。研究開発ドリブンな会社なのです。このとき、マーケティングを理

解せずに、テクノロジーについてああだこうだと言っているのではなく、「Habits & Practice」や「WHO」「WHAT」「HOW」について、研究開発チームがかなりのディスカッションをし、イシュー、消費者の課題を解決する製品を作ってくるのです。

そして、製品ができたら、「ではマーケティングの皆さん、これをどうコミュニケーションしますか」と言ってくる。研究開発とマーケティングとが、がっちりタッグを組んでいるのです。だから、新製品の広告などは、効果的なものを打ち出せることが多いわけです。

日本のように競合も優秀でものすごく競争が激しいところでは、研究開発とマーケティングが、ニッチだけれど掘れば大きなマーケットになっていく可能性のあるものを、「WHO」「WHAT」「HOW」、イシューと徹底的に向き合って取り組んでいくことが大切です。

なんとなく作ったりしない。なんとなく宣伝したりしない。しっかりと消費者や市場に向き合い、「WHO」「WHAT」「HOW」に向き合い、イシューに向き合って作っていくのです。

さらにP&Gは、マーケティングのトレーニングも充実していました。別の言い方をすれば、P&Gのマーケターに任せると7~8割方、同じ答えが返ってくる、とも言えます。

基本をたたき込まれ、「WHO」「WHAT」「HOW」やイシューなど、共通言語で発想ができる。さらに、何がワークして、何がうまくいかなかったのか、ケーススタディもたくさん見てきているし、見せられている。徹底的にトレーニングされている。

ある意味、「金太郎飴」なのです。ただし、どの人に任せても、それなりの仕事はします。とりわけブランドマネジャーは、ものすごい競争を勝ち抜き、入社5年ほどでPLも見ながらブランド経営を回せるだけの能力を身につけています。そういう人材は、日本の市場でも、そうそういない。

ですから、P&Gのブランドマネジャー出身者となれば、会社を替わっても相当の仕事ができると思います。ここまで上がってきた人は、使える人が多い。

P&G出身者は、シリコンバレーの特定の企業出身者が「××マフィア」と呼ばれているように、「P&Gマフィア」などとも呼ばれるようになっています。実際、あちこちの会社で、出身者が活躍している。

そして私があらためてP&Gで鍛えられたと思うのは、人の育成にまで責任を持つことを教えられたことです。部下をどう育成していくか、ブランドマネジャー候補をいかに見極めるか。部下の育成もできなければ、その上はないのです。

5人しかいないGMの一人に
（化粧品等のジェネラルマネジャー）
〜課題から逃げない。真正面から向き合う

すべてにおいて、結果を出すことができた理由

P&Gで、私はきわめて幸運なキャリアを築くことができたと思っています。「コーラック」や「ウィスパー」に始まり、「マックスファクター」「SK-Ⅱ」を成功させ、マーケティングからセールスへと2階級昇進を果たしました。その後は、「ジョイ」や「ファブリーズ」などホームケアを管轄し、「アリエール」などランドリーカテゴリーを管轄した後は、38歳でマーケティング、営業企画、ファイナンス、R&D、生産統括（工場）、法務、人事などのすべての部署を管轄するジェネラルマネジャー（GM）に就任することになりました。

担当カテゴリーは「SK-Ⅱ」を除く、すべてのスキンケアブランドと「マックスファクター」の化粧品、「ウィスパー」、そして石鹸の「ミューズ」と幅広いものでした。その結果、私はアメリカにあるP&Gシンシナティ本社の4人のグローバルプレジデントが上司になり、

各カテゴリーのPLや利益をレポートすることになりました。

ほぼ毎週この4人のプレジデントと、時差の関係で夜9時から深夜までテレビ会議をし、昼間は日本のメンバーたちと仕事をする超過密な生活をしていました。


P&Gはグローバルで「トップ30マーケティング」を毎年、選んでいました。全世界で30人、マーケティングで高いポテンシャルを持った人材をチョイスするのです。この「トップ30マーケティング」に選ばれた人しか、基本的にGMにはなれないと言われていました。GMはきわめて限られた役職で、グローバルの人材プールの中から選ばれていたのです。

なぜ私がこんなに若くして、日本法人に5人しかいないGMという役職の一人になれたのか。それは端的に言えば、結果を出すことができたからです。

自分で言うのもなんですが、特に「マックスファクター」「SK-Ⅱ」、ホームケア、ランドリーなど、担当したカテゴリーは、すべて大きく数字を伸ばしたのです。

「マックスファクター」は松嶋菜々子さんというブランドキャラクターを熱意で獲得しました。ビューティケアの販売企画、カウンセリング部長時代には他部門のメンバーと協同して、シンガポールエアラインのサービストレーニングとして行われているSQトレーニングを、数億円かけて2000人すべてのビューティカウンセラーに受けてもらい、サービスの基本を徹底的に学んでもらいました。肌の下に隠れているシミやしわを、シミュレーションで肌診断し、将来の美肌を手に入れる「ＳＫ－Ⅱ」独自のカウンセリングシステムを導入しました。

ホームケアに行くと「ジョイくん」のキャラクターで「ジョイ」を伸ばし、「ファブリーズ」では置き型を含めて爆発的に伸ばし、「ボールド」では次々と話題になる面白い広告を作り、たくさんの広告賞をいただきました。

どうしてそんなことができたのかというと、**「イシュー」に対して、逃げずに徹底的に向き合い、その解決にチームと一丸となって挑んだから**だと思っています。もちろん、やるべきことはたくさん出てきますが、だからこそ、**戦略的な集中を行う。**

見つけた戦略が尖《とが》っていれば、だいたい反対にあいますから、そこではパッションが必要です。松嶋菜々子さんにノーと言われたら、普通は「ま、いいか」であきらめるのですが、私はあきらめない。「ま、いいか」はないのです。

そこで逃げたらダメ。そもそも、私が会いに行ってノーと言われたわけではない。やるべきことをやっていないわけです。そこで、もっとも成功できる方法を考える。私よりも、社長が行ったほうがいいと思えば、そうする。誰に助けてもらえばベストなのかを考える。結果を出すために、です。

結果を出すために、とにかくあきらめないのです。

P&G出身者がなぜ活躍しているのか

先にも少し触れましたが、P&G出身者は「P&Gマフィア」などと呼ばれて、いろいろな企業で活躍するようになっています。そのベースになっているのが、「ブランドマネジメント制」にあると私は感じています。

この仕組みの中で、消費者マーケティングのプロとして育てられ、同時にブランドやカテゴリーのPLや利益の責任を負う。これは、小さな会社の社長になるようなものなのです。

P&Gに入社すると、ブランドマネジメント制の中で、20代で3つくらいのブランドやカテゴリーを担当することになります。小さなものなら数十億円。中堅規模で数百億円。大きなものなら1000億円を超すブランド=会社を、30歳ほどで3社経験しているような状況になります。

言ってみれば、すでにいろんな会社で働いているような経験を持っているのです。しかも、ブランドマネジャーになれば、会社の運営に近い仕事になる。ブランドマネジメント制が、これを可能にしているのです。

実際、ブランドは、大きなマーケティング予算を扱います。ここから、どんなプロモーションを行えば、消費者行動が変化し、シェアが上がったり、売り上げが上がったりするのか、相関関係を見ながら、その予算の使い方を考えなければなりません。

そもそも銀行に預けておけば、世界では4~5%の金利で増えていきます。それと同じ利回りにしたのでは、ブランドマネジャーにお金を預ける意味がない。そういうことも、入社3、4年目には学びます。予算を預かれば、年利5%以上のバリューを出さなければいけないということです。

そして先にも少し触れたように、P&Gでは、部下とチームの両方が伸びなければ評価されません。自分だけが伸びても昇進はないのです。チームの育成、トレーニングの大切さ、リーダーシップ、問題解決能力が必然的についてくる。

会社に雇われているのではなく、オーナーシップを持って、自分のブランドを率いていくという意識が強くなるのです。

部下を持つと、360度評価になります。自分の強みと弱みが、はっきりと文書で書かれて出てきます。多方面に目を配っていなくては、当然、評価は得られません。

30歳で「SK-Ⅱ」のブランドマネジャーを担当していた時には、年間400億円のブランドでした。それからホームケアやランドリーになると、1000億円規模のカテゴリーを見ていくことになりました。

また、私自身、後に韓国も見ていくことになりますが、グローバル市場も担当領域になりました。

こういう仕事を30歳そこそこで担う。ものすごくストレッチでチャレンジなプロジェクトばかりでしたが、それはありがたいことでした。しかも当時のP&Gは先輩社員の人数も少なく、先輩たちは後輩を育て、P&Gのポートフォリオを増やし売り上げを上げるしかなかった。上司が「こいつはもう無理だ」と思ったら、昇進は止まってしまう。

その意味では、マーケティングなど学生時代まったく勉強してこなかった私を、先輩方がどれほど我慢強く育ててくれたのか、とても感謝しています。P&Gに入っていなかったら、今の私はいない。それは断言できます。

だから、私にできるのは、自分が学んだことをこれからの人たちにお伝えしていくことなのだと思っているのです。

シンガポール行きより、新たな挑戦を選ぶ

38歳でGMに就任して3年半、一つの転機が訪れることになります。日本のヘッドオフィスはこれまで日本にあったのですが、それをシンガポールに移す、という会社の方針が決まったのです。

GMの役職にある以上、シンガポールに行かなければなりません。行くか行かないか悩んでいるときに、もともと持っていた思いが頭をもたげてきました。

伝説の外資系トップと呼ばれ、ジョンソン・エンド・ジョンソンなどで社長を務めた新将《あたらしまさ》

命《み》さんの著書に、こんな記述があったのです。

シェル、コカ・コーラ、ジョンソン・エンド・ジョンソン、それぞれ10年ずつでキャリアを積んだ。

なるほど、10年ずつで3社ほどキャリアを積むのはいいな、とおぼろげに考えていた時期があったのでした。ところが、気づけば、P&Gに18年。私自身は、そんなに長くいるつもりはなかったのです。

ただ、医薬品、紙製品、化粧品、ホームケア、ランドリー、セールス部門など、さまざまなカテゴリーを見ることができたのは、とても幸運でした。会社は替わらなくても、ブランドを替わることで、新しい経験も積めたし、モチベーションも高めることができました。

しかし、すでに役職はさまざまなカテゴリーをまたぐGMです。おそらく、次のポジションは、別のカテゴリーのGMか、もしくはカントリーマネジャーでした。

しかし、私にとってはそれらのポジションは今までやってきたことの延長線上で、もっと新しいチャレンジをしたいという気持ちが大きくなっていました。そこでP&Gを卒業することにしたのです。

日本のP&G本社は当時、神戸にありました。次の会社を関西で探すのは、おそらく難しいものになるだろうと思いました。選択肢が限られるからです。そこで、充電期間を少しとる目的もあって、転職先を決める前にまずは東京に移り住むことを決めました。

退職したのは、2008年夏。その後、リーマンショックが期せずして世界を襲います。すべての外資系の会社のリクルーティングが半年間ほどストップし、私は雇用保険をもらうために渋谷のハローワークにも通うことになりました。希望の年収を聞かれ、P&G時代の年収を答えたら「桁を間違えていませんか」と苦笑されたのを覚えています。

一度はゴルフ関連の会社に就職したのですが、さまざまな理由により、約半年で退職し、以前からヘッドハンティングの声がかかっていた会社に行くことを決断しました。

それが、日本コカ・コーラでした。

第2章

日本コカ・コーラで誰もできなかったお茶の再生に成功する

ヒット商品に必要なのは「エッジ」

「綾鷹」（お茶カテゴリー マーケティング責任者 ヴァイスプレジデント）
〜あくまで狙いは「ど真ん中」

うまくいっていないから、人が求められている

２００９年、私は日本コカ・コーラに入社しました。ヘッドハンティング会社から声をかけてもらったのは、２００８年の秋。ただ、当時はゴルフ関連の会社への興味が強く、そちらを選んだのでした。

結果的に諸事情あって、その会社は約半年で退職。ヘッドハンティング会社に連絡を取ると、日本コカ・コーラのあるポジションがまだ埋まっていない、ということで引き受けることにしました。半年間、必要だったポジションに人が来てくれない。つまりは、それだけ難しいポジションだったのだと思います。

そのポジションのミッションは極めてシンプルでした。

「お茶のカテゴリーを立て直す」

日本コカ・コーラで、当時もっとも苦戦していたのが、お茶のカテゴリーだったのです。8年連続でシェアを落とし、シェアトップを競合に奪われ、2位にも抜かれて3位という状況にありました。

もちろん、この間には、いろいろなリーダーがやってきて、いろいろな策を打っていたようでした。しかし、まったくうまくいっていなかった。

後で聞けば、私のポジションは1年近く空いていたようでした。そんな厳しい状況のカテゴリーを引き受けてくれる人は、なかなかいなかったのでしょう。

私も一度は断ったわけですが、それは大変そうだったから、ではありませんでした。他にやってみたいことがあったから、そちらを選択しただけです。

そもそも厳しい状況にあることは、当然だと思っていました。**会社がうまくいっているときに、ヘッドハンティングで「これをお願いします」などということはありません。厳しい状況にあるか、もしくは新しいことをやりたいからヘッドハンティングで新しい人材が求められるのです。**

P&Gと日本コカ・コーラでは、扱う商品がまったく異なるわけですが、それも気にしていませんでした。先にも書いたように、私はもともと卒業論文で「アサヒスーパードライ」を取り上げたほどで、飲料のマーケティングにはとても興味がありました。しかも、コカ・コーラと言えば、100年以上の歴史を持つ飲料ビジネスの世界的なフラッグシップカンパニーです。

競合がいくら出てきても圧倒的な強さがある。いったいどうやってブランドのマネジメントをしているのか、グローバル戦略も含めて興味津々でした。いずれは「コカ・コーラ」というブランドにも携わってみたい、という気持ちも持っていました。

その入り口がお茶だろうが、コーヒーだろうが、まったく気にしていませんでした。P&G の経験値で言えば、何があってもイシュー＝課題や問題の解決をすればいいのです。P&G時代から、「問題解決するのがお前の仕事だ」と言われていました。問題があるのは、当たり前なのです。

解決は難しいかもしれませんが、厳しい状況に陥っているのには、間違いなく理由があるはずです。その理由を見つけて、一つひとつつぶしていくしかない、と思っていました。お茶カテゴリーをやってほしい、というミッションなのだから、まずはそれをやる。

たしかにビジネスの現状は厳しいものでしたが、3年かけてひっくり返す自信がありました。絶対に、その方法論はあるはずだと思っていたのです。

実際、お茶カテゴリーは3年で2位を奪還し、じわじわとトップに肉薄。11年後にはトップシェアに返り咲くことになります。

どのターゲットに、どんな価値を提供しているのか

ご想像いただけるかもしれませんが、ビジネスがうまくいっていないチームは、モチベーションが低いものです。日本コカ・コーラのお茶のチームも残念ながらそうでした。リーダーが何度も外からやってきては辞めていく。それがまた来たわけです。

協力してくれそうなムードもあまりありませんでした。完全に「外様」という印象で見られていたと思います。また、よくわからない人が上に来た。どうせすぐにうまくいかなくて辞めていくんだろう……。そんな言葉が聞こえてきそうでした。

まず取り組んだのは、P&Gでも新しいポジションについたときに必ずやっていた「カテゴリーレビュー」でした。自分が担当するカテゴリーがどういう状況にあるのかを、シビアに見ていくのです。いわゆるポートフォリオの整理です。

化粧品でも、ホームケアでも、ランドリーでも、どんな競合がいて、どんな課題があるのかをしっかり見ていく。そして、どんな推移でビジネスが動いてきたのかも把握する。

緑茶、紅茶、ウーロン茶、ブレンド茶などで構成される当時のお茶カテゴリーは、想像以上に厳しい状況にありました。過去8年でシェア1位の地位から3位に、売り上げや利益も激減していました。

では、どうするか。私が描いたビジョンは、3年で2位のポジションを取り返し、10年後

には首位奪還するという目標でした。そのためにどうするか。２つの戦い方が必要だと思いました。

競争が激化する中で戦う「レッドオーシャン」での戦い方と、まだ競争相手のいない「ブルーオーシャン」での戦い方、２つが問われるのです。そのためにも、現状がどうなっているのか、ポートフォリオをしっかり作ることが必要でした。

ベースになったのは、P&Gの型、「ＷＨＯ」「ＷＨＡＴ」「ＨＯＷ」のうち、まずは「ＷＨＯ」「ＷＨＡＴ」です。日本コカ・コーラのお茶は、誰に対して、どんなバリューを与えられているか。それを理解するところから始めたのです。

社内の市場調査部のお茶カテゴリー担当や代理店の戦略担当者とともに数週間部屋に立てこもりました。縦軸に年齢・性別ゾーン、横軸に飲み物が与えている機能。これで**「バリューマップ」**を作りました。誰がどんな商品をどんなシチュエーションで、どんな気持ちで飲んでいるか。

それを整理して、日本コカ・コーラの持っていたお茶カテゴリーの飲料が、どのターゲットゾーンに、どんなバリューを与えているのかを、マップによって一目瞭然にしたのです。数字だけで見ていても漠然としていてよくわからないものも、マップにすればよく見えてきます。

年齢ゾーンが６つ、バリューが10。全部で60のセルを作り、そこにすでにある商品群を当

飲料のバリューマップ

	リフレッシュ	空腹を満たす	喜び	楽しみ	リラックス	自信	エネルギー	水分補給	気分一新	美容健康
ティーン 16-19				B						
主婦 20-59	A				B			C	D	A
会社員 女 20-59	A			B				C	C	D
会社員 男 20-34								C	D	
会社員 男 35-59					B				D	D
シニア 60-69									D	

縦軸に「年齢・性別」、横軸に「機能」。ブランド（A、B、C、D）をそこに当てはめていく

てはめていきました。お茶のカテゴリーの主要ブランドを、競合も含めて、その商品のシェアが高いかどうかを示す。そうすると、日本コカ・コーラが強いセルと、弱いセルが見えてきます。

たとえば、「爽健美茶」や「からだ巡茶」は健康、美容といったイメージで若年女性に圧倒的に支持されていました。

さらに、消費者にリサーチして、「このブランドはどこに位置していますか」と聞いていく。それがこの先どう派生していくかも分析する。どのマーケットパイが大きくて、どのブランドでそれを攻めるのか、パッと見てすぐにわかるようにするのが大切なのです。

こうして、戦わなければいけない「レッドオーシャン」を明らかにし、今後可能性のある「ブルーオーシャン」がどこにあるのかを整理していきました。

もちろん「ブルーオーシャン」についても進めなければなりませんが、まずやらなければならないのは、目の前にすでに商品が広がっている「レッドオーシャン」でした。中でも、お茶全体のビジネスの約4割を占めていたのが、緑茶。

この緑茶の再生なしには、2位を取り返すことはできない。ここで、私は後にとんでもない決断をし、社内の大反対を受けることになります。

「綾鷹」以外の2つのブランドを撤退させる

当時の日本コカ・コーラの緑茶は、3つのブランドで展開されていました。「茶織《さおり》」「茶花《ちゃか》」そして「綾鷹」。この3つで緑茶市場の13％のシェアを持っていました。3つのうち、「綾鷹」がもっとも新しく、2007年に生まれたブランドでした。

2001年から2007年まで、日本コカ・コーラのお茶はまさに混迷期にありました。そんな中で、当時の担当者が投入したのが「綾鷹」でした。しかし、「綾鷹」のシェアは私が入社したときは2％程度。もっとも売れていないブランドだったのです。

お茶カテゴリーの再生にあたっては、売れていない「綾鷹」をやめて、新しいブランドを立ててほしい、という声が社内から上がっていました。しかし、私はそうは思いませんでした。むしろ「綾鷹」を残し、他の2ブランドを撤退させることを考えたのです。当然社内の反発は大きかったです。なぜもっとも売れていないブランドを残し、売れているブランドをやめるのか、と。

その理由はこうです。「綾鷹」は当時の担当者が、差別化を狙って作った製品でした。いわゆる「Point of difference」、競合との差別化を強く意識していたのです。逆に言えば、**「綾鷹」以外には、ブランドの強みとなる「エッジ」がありませんでした。競合商品と同じようなポジショニングで攻めようとしても、そこには買う理由がありません。必要なのは、差別化された商品コンセプトでした。**

そのエッジとは何か。「綾鷹」がすべてのお茶の中で唯一、濁《にご》っていて、味が特別にいいお茶だったということです。「濁りのある、唯一のプレミアム緑茶」というポジショニングの製品だったのです。

濁っていることは、一見ネガティブに捉えられがちですが、そうではない。そもそもお茶は急須でいれるもので、急須でいれたお茶は濁っているのです。本物に近いということです。

だから当時の担当者は、これをプレミアム市場で打ち出そうとしました。宇治にある老舗茶問屋「上林春松《かんばやししゅんしょう》本店」に監修してもらい、425ミリリットルで158円という小容量・高価格で展開。さらに切り子デザインの斬新なパッケージを採用していました。

ところが、「綾鷹」導入後も、シェアにはまったく変化がありませんでした。プレミアム市場では、特別なときに飲むお茶、という認識になってしまいます。たしかにこの市場はあるのかもしれませんが、あってもニッチだったのです。

お茶は当時すでに完全にコモディティ（日用品）化していました。スーパーでは、かなりの安値で売られていた。おそらくどのメーカーでも利益を出すのが難しい状態だったと思われます。プレミアム市場を狙ったのは、利益の取れるコンビニ専用にしようという発想もあったからでしょう。しかし、いかんせんマーケットが小さすぎたのです。しかも、テレビCMでも製品としての本質を伝えられず、トライアル（初回購入）率も低く、ビジネスは伸び悩んでいました。

しかし、エッジがあるのは「綾鷹」しかない、と私は判断しました。それくらい、差別化できる「エッジ」というのは重要なのです。

私はまず、「綾鷹」が置かれている現状を理解しようとしました。そこで**「3Aアナリシス」に取り組みました。「Acceptability（受容性／消費者からの受け入れやすさ）」「Availability（店頭にどのように置かれているかという配荷）」「Affordability（価格／買い物しやすさ）」という3点で、製品の状況を見ていったのです。**

いずれも残念な結果が出ていました。味はおいしいという評価が出ていたのに、「特別なときに飲むお茶」「濁っていて苦そう」というイメージで捉えられていた。配荷は低調で、店頭に並んでいなかった。さらに価格もプレミアム市場を狙ったわけですから高い。「3A」

のほとんどが悪かったわけですから、売れるはずがありませんでした。

そこで取り組んだのは、おいしい味はそのままに、「綾鷹」のポジショニングを変えることでした。「限られた人のためのプレミアムブレンド」から「手いれのお茶に一番近いお茶」にリポジショニングしたのです。

あくまで狙いは消費者マーケットの「ど真ん中」。そこで差別化する。そのために「3A」を一つずつ改善していったのです。

「急須でいれた緑茶にもっとも近いのはどれ？」

まずは「Acceptability（受容性）」の改善として、容量を変更しました。425ミリリットルのものを、一般的な500ミリリットルへ。また、パッケージデザインも変えました。伝統、プレステージといったコンセプトのデザインだったのを、急須のイラストを入れ、「綾鷹」の特徴である急須でいれたようなお茶のイメージを打ち出しました。

さらに、「綾鷹」の名前の横に大きく「あやたか」とふりがなを入れました。漢字が読めない人もいると思ったからです。いずれも、マーケットの「ど真ん中」で勝負するためです。

この変更にあたって、購入意向調査を行いました。製品を見て買いたいと思ったかどうか、「ものすごく買いたい」「すごく買いたい」「買いたい」「どちらでもない」「買いたくない」

の5段階評価の上位2評価を「購入意向」と判断するのです。この**価格変更とパッケージ変更だけで購入意向調査の数字が約2倍も上がったのです。**

購入意向がパッケージとポジショニングを変えただけで2倍になることはなかなかありません。そこで、「綾鷹」の本質を伝えられるコミュニケーションを考えました。これが、大きな効果を生みました。

このときに使ったのが、「急須」「濁り」という「綾鷹」のエッジです。新しいテレビCMで「綾鷹チャレンジ（日本全国綾鷹試験）」シリーズを展開したのです。

製品名を隠し、競合を含んだ4つのお茶のうち、「急須でいれた緑茶にもっとも近いのはどれ？」という味覚調査を行い、消費者編、舞妓編などをテレビCMにしました。「おいしいのはどれ？」ではないところがポイントです。問うたのは、急須でいれた緑茶にもっとも近いもの、なのです。

「綾鷹」は濁っている唯一のお茶。なぜ濁っているのかというと、本来、お茶は濁っているものだからです。実は工場でお茶を作るときにも、濁りは生まれます。ところが、それをすべて取り除いていたのです。どうして取り除いてしまうのか。残しておいたほうが、おいしいのではないか。それが「綾鷹」の誕生のベースにありますが、もちろん残しておくと手間もかかります。フィルターが目詰まりを起こしたりする。したがって、生産上も取っておいたほうが効率が良かったのです。

しかし、急須でいれたお茶がおいしいように、濁りのあるお茶はおいしい。それをきちんとセールスポイントにしようと考えたのでした。

そもそもお茶は急須でいれるのが、本物です。濁っているほうが、本物に近い。急須に入った本物に一番近いおいしさが、ペットボトルに入っていて、実際に他のお茶よりもおいしい。だとすれば、そのまま消費者に伝えたら、必ず買ってもらえると思ったのです。それをうまく言えていないだけで、言い方の方法論を考えれば間違いなく売れる。しかし、当初は社内で誰も信じてくれませんでした。

テレビＣＭでは、「消費者編」でも「舞妓編」でも多くの人たちが、「綾鷹」のおいしさを実感してくれました。濁っていることの差別化にも気づいてもらえた。こうしてようやく社内でも、「そういうことか」と理解してもらえました。

「３Ａ」の「Availability（配荷）」もどんどん上げていきました。店頭にどんどん置かれるようになっていったのです。テレビＣＭがどんどん流れていきますから、店頭で「『綾鷹』はないの?」と聞かれるよう

綾鷹

になります。

スーパーマーケットでもコンビニでも、配荷率は約2倍に向上したのです。

「Affordability（価格）」も、プレミアム市場からシフトして大きく下げ、競合と近い価格へ変えていきました。

「3A」を一つひとつ確実に高めていくという戦略は、「綾鷹」の成長を一気に牽引していくことになりました。ブランド認知率、購入意向も順調に伸び、「綾鷹」の売り上げは、飛ぶ鳥を落とす勢いになりました。リポジショニングは大成功したのです。

難しく考えることはない。凡事を徹底する

「綾鷹」のかつてのCMシリーズ、「急須でいれた緑茶にもっとも近いのはどれ？」を覚えている人もおられるかもしれません。ある時期は料理人の方々にも出てもらい、「どちらが急須でいれたお茶だと思いますか？」というCMを展開したこともありました。

これは、いわゆる比較広告ですが、そのヒントになったのはP&Gの洗剤「全温度チアー」のCMでした。氷で洗剤が溶けるのか、目の前でデモを行う。目の前で見せる、というところにリアリティがあったのです。

「綾鷹」はとてもおいしいお茶でした。だから、飲んだら絶対においしい、ということをど

綾鷹の販売数推移

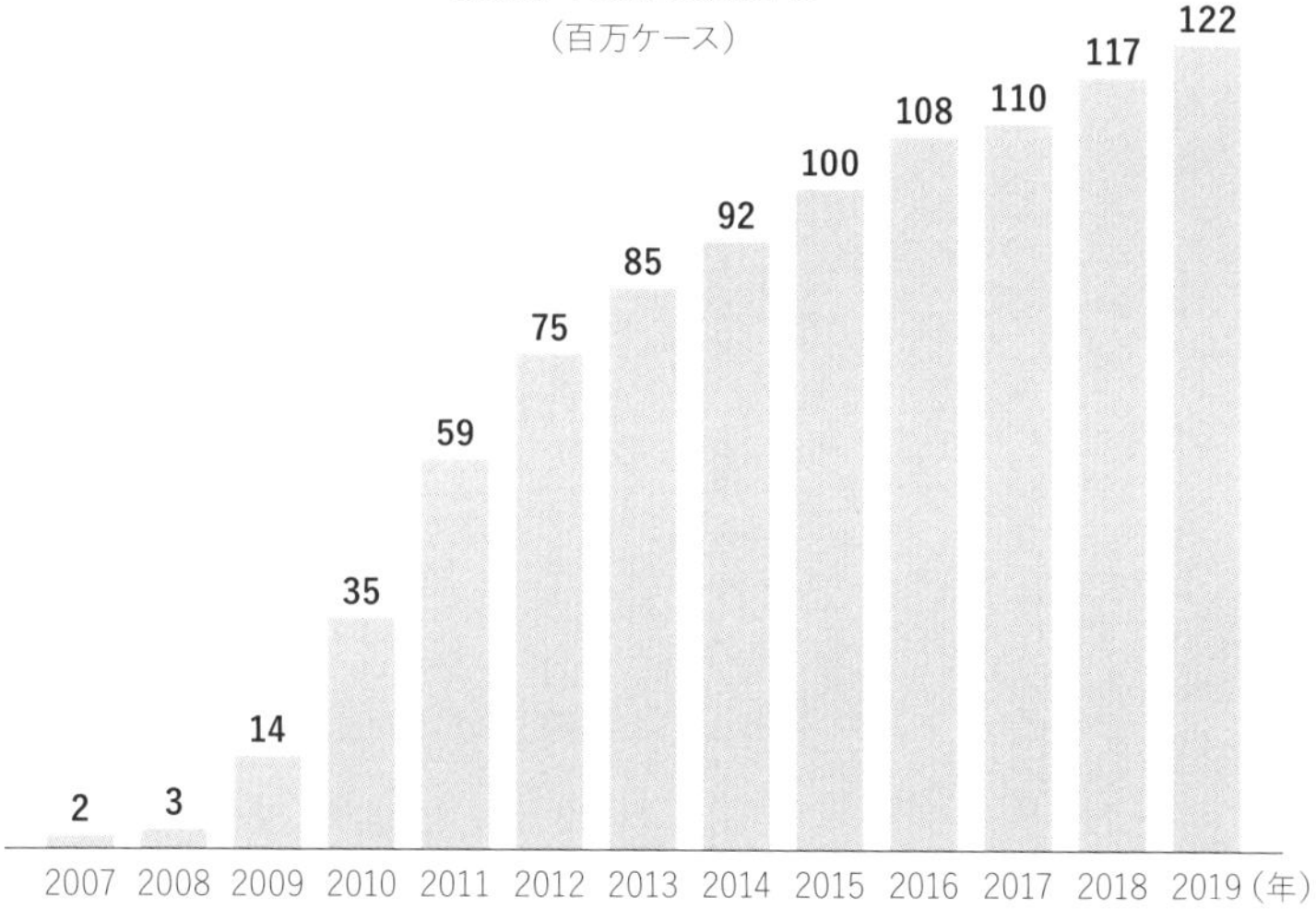

うにかしてデモしたかった。もし、どれがおいしいですか、というデモができれば、選ばれるという確信があったからです。

ただ、おいしいお茶か、おいしくないお茶か、となると、これは反則です。おいしい、おいしくないは、個人の嗜好だからです。仮にやったとしても、あまり品の良い話ではない。

なので、おいしい、おいしくないという問題ではなく、急須の味に近いかどうか、だけを聞いた。ここがポイントです。「急須に近いのは『綾鷹』だった」ということを知らせることにしたのです。

急須に近いのは、お茶のスタンダードのおいしい味という証拠。そこに一番近いのが、「綾鷹」。だったら、おいしいに違いない、という三段論法です。

これは、チームでいろいろな話し合いをして生まれてきたアイデアでしたが、とてもヒットしたと思っています。

「どちらが急須でいれたお茶だと思いますか？」というCMで料理人の方々に出てもらったとき、実は「綾鷹」を急須のお茶と間違えた人は、少数だったのです。でも、その数字をそのまま出しました。少数とはいえ、料理人が間違えるほど「綾鷹」の味は急須に近い、と示せると考えたからです。自分たちに都合のいい数字だけを示せばいい、というわけではないのです。

「綾鷹」は、2010年からの2年間でシェアを15％に伸ばしました。当初の2％から実に7倍以上になったのです。「綾鷹」は40％のシェアを持つ競合に挑むべく、その後も新たなキャンペーンを次々に打ち出しました。「綾鷹茶葉認定式」「急須への挑戦」「信念の可視化」「この国の味覚に応える」……。

私はすでにお茶カテゴリーを離れていましたが、2021年、日本コカ・コーラのお茶カテゴリーのシェアは約26％になりました。2位の競合が22％、3位は21％。10年後にナンバーワンになる、という私が立てた当時の目標は、本当に達成されることになったのです。

あらためて「綾鷹」を思い出すとき、ここから学べたポイントが4つあったと思っています。**一つは「Point of difference」の重要性です。競合と差別化できる、独自のポジショニングが必要になる。**

日本のお茶カテゴリー・シェアビジョン（%）※2010年策定

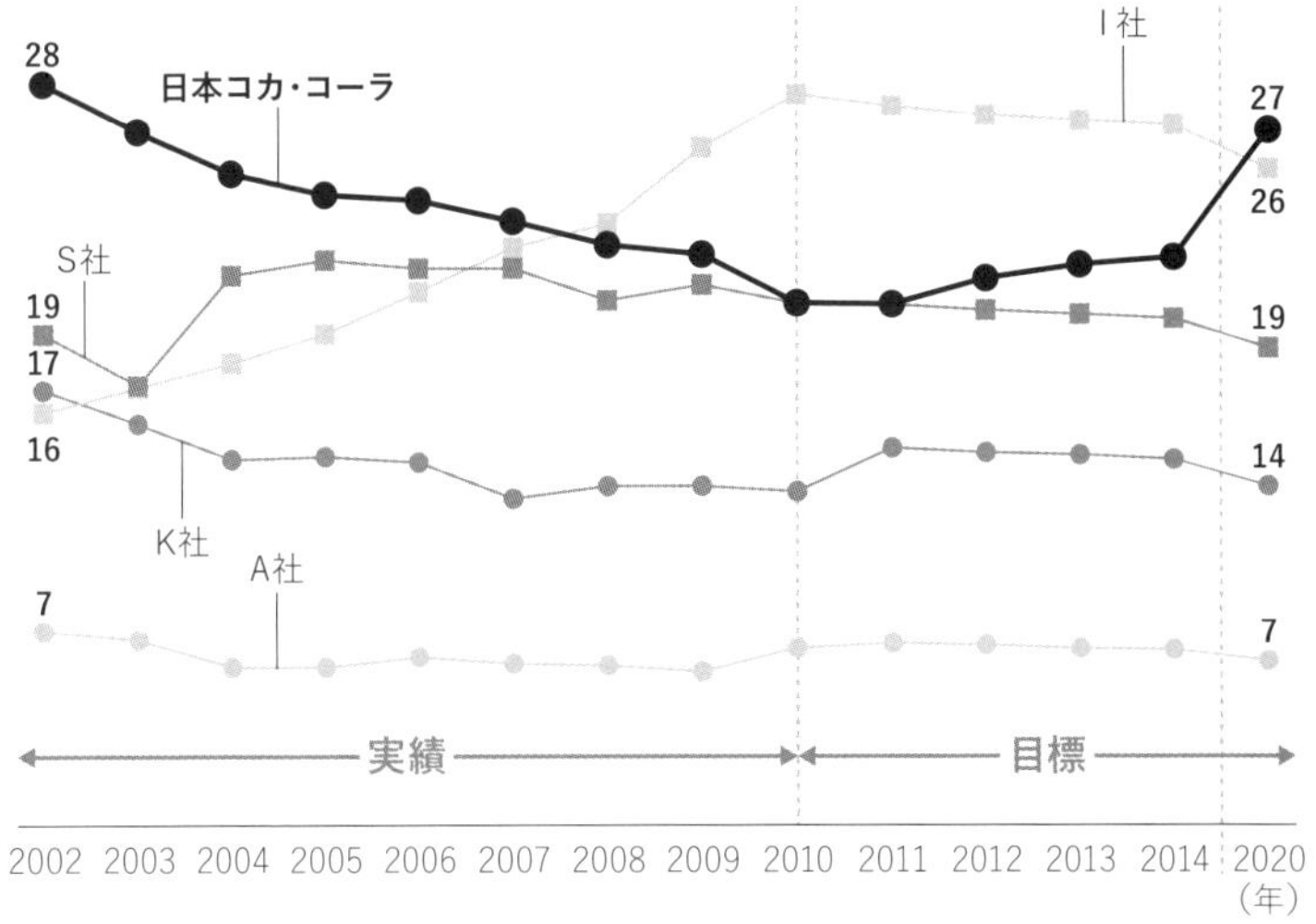

ただし、これは差別化さえあればいい、ということではありません。それが、消費者にとって意味があるかどうか、が大切なのです。意味のない「Point of difference」を持っていてもしょうがない。

一方で、せっかく「Point of difference」があっても、わかりにくくしてしまっていることも少なくありません。かつての「綾鷹」がまさにそうでした。「上林春松監修」「おいしい」「濁っている」という「Point of difference」があったのに、それをニッチ、プレミアム、高級路線に持っていってしまったことが問題でした。そうではなくて、私はこれを「お茶のど真ん中」に持っていった。パッケージも、お茶のど真ん中です。

値段も同じなのに「おいしい」「濁って

いる」「100人に聞くと急須にもっとも近いと言われる」「だから買わない理由はない」「飲んだらおいしい」というストーリーに持っていったのです。

2つ目のポイントは、集中&継続投資の大切さです。「綾鷹」が急成長する中、まず「茶花」というブランドの発売を停止し、続いて「茶織」ブランドも地域ごとに順次終売し、「綾鷹」一本に日本コカ・コーラの緑茶のブランドを集約したのです。

3つ目のポイントは、わかりやすいビジネス指標の大切さ。「3Aアナリシス」です。

そして4つ目のポイントは、最後まであきらめない、信念を貫く情熱です。

必要なのは、難しく考えることではなく、凡事の徹底なのです。マーケティングは難しいものではないのです。みんな難しく、難しく考えてしまう。

そうではなくて、消費者目線で、どうして売れていないのか、考えてみればいいのです。そうすれば、売れていない理由がわかる。

「綾鷹」が売れていなかったのは、高い、苦そう、わかりにくい、これは私のお茶ではない、お店に置かれていない、と思われていたからです。そういう問題があるとすれば、一つひとつ解決すればいい。実際、それを解決したら、売れた。

今、「綾鷹」は「コカ・コーラ」や「ジョージア」のように日本コカ・コーラにとってなくてはならない重要な定番ブランドになりました。マーケティングによって、製品が本来持つ力を発揮させることができたのです。

「太陽のマテ茶」

（お茶カテゴリー　マーケティング責任者　ヴァイスプレジデント）

～自分の「過去の経験」が、貴重なヒントをくれる

新しいカテゴリーを作った会社がナンバーワンになる

「レッドオーシャン」の緑茶マーケットでいかに戦うか。それを考える一方で推し進めていたのが、「ブルーオーシャン」での戦いです。日本コカ・コーラのお茶カテゴリーを大きく伸ばしていくには、大きな成長が期待できるサブカテゴリーで新しいマーケットを作っていく必要があると私は考えていました。そうすれば、お茶カテゴリーを活性化できる。

大事なポイントは、過去の歴史を振り返れば、サブカテゴリーは、新カテゴリーを作った会社がナンバーワンになっていた、ということです。キリンビバレッジ「午後の紅茶」、サントリー「烏龍茶」、伊藤園「健康ミネラルむぎ茶」、日本コカ・コーラ「爽健美茶」……。

サブカテゴリーを作った会社に、先行者利益が入る。だからこそ、積極的に新しいカテゴリーづくりに挑まなければならないということです。当時の日本コカ・コーラのお茶カテゴ

リーでは、その考え方が欠落していました。

このとき活用したのが、先にも紹介した「バリューマップ」です。どんなターゲットがいて、どんなバリューがあり、日本コカ・コーラはどう対応できているか。そこから見えてきたのは、「男性」「健康」＋「エネルギー」を軸にした新しいブランドでした。

男性を中心ターゲットとする健康的な商品。ちょっと元気になる飲料。ここに何か当てはまるブランドはないか。そこがまさにホワイトスペース、マーケットの空きスペースになっていたのです。

ここにマーケットを作ることができれば、新しいサブカテゴリーになる。安売りしなくても売れるようになる。すなわち、利益が取れるということです。

当時はちょうど、東日本大震災の後でした。みんな頑張ろうという空気感が漂っていた時期です。どんな飲料シチュエーションがあるのかに文化的、社会的な背景も掛け合わせ、いろんなアイデアをみんなで出していきました。それこそ１００を超えるアイデアからスクリーニングをかけ、19のアイデアに絞りました。

その中の一つに、私が一番推していた「マテ茶」がありました。このヒントになったのは、１９９０年に大学の卒業旅行で中南米に旅をしたことです。ブラジルのリオデジャネイロのコパカバーナ、イパネマのビーチで、ブラジルの人たちがマテのお茶を飲んでいたのです。

ビーチでは「マチコンレモン、マチコンレモン」と売り子が呼びかけをしながら歩いていました。マテ茶とレモネードをミックスしたドリンクです。缶に入った製品「マテレオン」もありました。

「マテレオン」は、ブラジルでは古くからある有名ブランドで、ワールドカップの決勝が行われたマラカナンというサッカー場では、昔は飲める飲料が「マテレオン」だけだったと聞きました。「コカ・コーラ」すら入れなかった。それほどのメジャーな飲み物でした。

後に、「マテレオン」はコカ・コーラ社に買収されます。この「マテレオン」を日本に持ってくる、という選択肢のほか、新たに「マテ茶ブランド」を日本で開発して展開するというアイデアを出したのです。

日本では、外食やお弁当が多く、栄養バランスを崩しがちだという若い人も少なくありませんでした。また、食べ過ぎてしまったりして、バランスが気になるという人も多かった。

そこで「マテ茶」を提案する。

これを食事と一緒に飲むことで、不足しがちな野菜の栄養成分を簡単に摂取できる。なぜなら、南米では「飲むサラダ」として愛飲されている、ビタミンやミネラルを多く含むマテ茶を使用しているから。さっぱり、ほろ苦い後味なので、食事の後もすっきりする。

これが、最初のコンセプト文でした。自分の「過去の経験」がまさか、で生きてきました。

普通にリサーチをしたのでは、ポテンシャルが生かされない

新しい商品を開発するにあたっては、もちろんさまざまなテストやリサーチが行われます。このときも、「この商品を買いたいですか」と問うコンセプトテストから行われることになったのですが、リサーチ担当の同僚から、こんなアドバイスをされたのでした。

「和佐さん、こんなコンセプト、普通にリサーチにかけたら、なかなかいい数字は出ない。リサーチの仕方も、将来のポテンシャルをしっかり計れる方法を考えたほうがいいと思う」

そこで、リサーチの方法に知恵を絞りました。何をしたのかというと、「たくさんの人の意見は最終的に当たる可能性が高い」という理論に基づき、リサーチを受ける人に投資家になってもらうという想定にしたのです。

通常は、「あなたはこれを買いますか?」という質問になるのですが、「マテ茶」を買いますか、と問われると「特に、それは今はいらないかな」という答えになってしまうことは十分に考えられました。

そこで、**「これは将来の投資です」という想定にしてもらったのです。そして「これからあなたにコインを配ります。あなたはこのアイデアに賛同してコインを投資しますか?」と問うた**のでした。

「マテ茶」の他にも、いろいろな製品を準備しておきます。競合のヒット商品も入れておき

ます。どれなら買いたいか。どれなら将来に向けて投資したいか。どれはやめたいか。どんどん深掘りして聞いていったのです。

「買う」という意思表示では、「マテ茶」は低い数字でした。トップは競合のヒット商品です。通常なら、ここでやめてしまうのですが、「投資家になる」という仮定では、面白い結果が出ました。

ぜひ投資したい、2倍の投資をしたいという声がどんどん上がり、多くの製品の中でトップ3に入ったのです。「絶対に投資しない」という人もいるのですが、ある人には確実に刺さっていた。将来のポテンシャルに、多くの人が気づいていたということです。

リサーチ会社からは、「コンセプトは捨てずに、さらに考えてみなさい」という示唆をもらいました。それに基づいて、コンセプトを少し考え直そう、ということになったのです。

どうして好きか、どうして嫌いか、も書いてもらっていたので、まとめていくと、**「飲むサラダ」「健康にいい」「すっきり」というキーワードは良かった。ところが「インカの奇跡、マテ茶」というネーミングが不評でした。**

それなら、このネーミングを変えよう、ということになりました。

ここから、コンセプトがぐっとシャープに固まっていくことになります。

「引き締まった体づくりのためのラテン系健康茶」

次に作ったコンセプトは、これでした。

「引き締まった体づくりのためのラテン系健康茶〝ラティーノ〟」

ブランド名を「ラティーノ」とし、ターゲットを男性に思い切り振って、踏み込んでコンセプトを作りました。これをイメージビジュアル、パッケージのデザイン案とともに1枚のシートにまとめました。

「いつまでも引き締まった魅力的な体を維持し続けたい。これは偏りがちな食生活のバランスを保ち、魅力的な体作りをサポートする健康ブレンド茶です。
ラテンアメリカの男たちは肉食中心の食生活にもかかわらず、肥満率が低く、しなやかに引き締まったボディを保っています。
そんな彼らが長年愛飲してきたのが、別名「飲む野菜」と呼ばれている「マテ茶」。
偏りがちな食生活のバランスを保ち、〝ラテン男〟のような引き締まった魅力的なカラダづくりをサポートします」

実はこのとき、会社からは新しいブランドを立てることに反対されていました。やるのなら、すでにコカ・コーラが持っているブランド「マテレオン」でいくか、もしくは日本コカ・コーラの「爽健美茶」の派生ブランドにしなさい、という指示が来ていました。そのためのコンセプトシートも作りました。コンセプトは、ブラジルで人気ナンバーワンの健康茶ブランド「マテレオン」。

「ラテンアメリカで数百年前から飲みつがれ、愛され続けている健康茶「マテ茶」。そのマテ茶を使った、ブラジルで人気ナンバーワンの国民的お茶ブランドが「マテレオン」です。南米古来の健康茶「マテ茶」は世界三大飲料と言われ、緑茶やウーロン茶など他のお茶と比べても、茶葉そのものに高い栄養価があり、別名「飲む野菜」と言われています。厳選された茶葉をよく焙煎《ばいせん》した無糖茶なので、ユニークな風味と香ばしい後味はどんな飲用シーンにもぴったり。

地球の裏側からやってきた、未体験のおいしさをお楽しみください」

同じマテ茶でも、ブランドとその背景を変えると、コンセプトも変わるし、文章も大きく変わっていくことがおわかりいただけると思います。

最終的に、ブランド名は「太陽のマテ茶」となりました。コンセプトのアイデアは「ラティーノ」が元になっています。これが後に大ヒットする「太陽のマテ茶」ですが、世の中に出るまでには3年の歳月が必要でした。

消費者の支持があることを経営陣にあきらめず伝える

２００９年に日本コカ・コーラに入社したとき、その年にすでに私は「２０１０年にマテ茶を出させてほしい」と会社に提案していました。しかし、「緑茶を立て直してからだ」ということで待ったのでした。

翌年も「２０１１年に出させてほしい」という提案をしますが、それも却下。そして東日本大震災が起こり、「日本を元気にしたい。２０１２年に出したい」ということで、ようやくゴーサインをもらったのでした。

２０１２年までは、実はリサーチなどを行うにあたっても、会社の許可は出ていなかったのでした。緑茶の再生をはじめ、他にもやることがあるので、新規のカテゴリーについて会社は消極的でしたが、私は強いパッションを持っていました。

部下や研究開発のチームを巻き込み、「何かあったら、私が責任を取る。新しいことは、誰かがやらないと前に進まない。だから、やる」と、茶葉集めやリサーチなど、プロジェクトを水面下で動かしていたのでした。

２０１１年の６月、次年度のビジネスプランの提案を経営陣にすることになり、新しいお茶のポートフォリオという提案をしました。ポイントは、マーケットにホワイトスペースがまだある、ということでした。そこにマテ茶を当てはめたのです。

お茶カテゴリーでいずれナンバーワンになるためには、「レッドオーシャン」の緑茶を再生させるだけではなく、「ブルーオーシャン」の新しいブランドを作らなければならないと考えていました。そのためには、**最初に行かなければいけない。競合に先に行かれたら、２番手に甘んじなくてはならない**のです。

リサーチの結果、消費者からの大きな支持があることはわかっていました。消費者の中では、お茶というのは、静的な存在です。お茶を飲んで元気になろう、という意識を持つ人は少ない。逆に言えば、そういうものなら、他のお茶カテゴリーとバッティングしないということです。

カニバリゼーション（共食い）がなければ、売り上げの純増が期待できる。「綾鷹」とも「爽健美茶」とも「からだ巡茶」とも競合しない。新製品を出しても、他のカテゴリーの商品のシェアを奪ってしまったら、純増にはつながらないのです。

また２００７年頃から、日本人の食生活に変化が起きていました。魚を超えて、肉の消費量が増え、逆転していたのです。さらに、フィットネスジムに行く人たちが増えていました。

とりわけ20代、30代の人たちは鍛えて締まった体が欲しいと考えていた。

加えて、東日本大震災の後でしたから、「がんばろう日本」というエナジーが欲しい。お茶にはエナジーはないけれど、マテ茶という元気なお茶であれば、それが可能になる。消費者インサイトとして、こんな背景があったのです。

さらにマテ茶のポテンシャルを語りました。さまざまなリサーチ結果を伝えました。実は当時の社長は南米駐在経験があり、マテ茶を知っていました。しかし、マテ茶には2種類あるのです。ローストマテ茶（煎ったもの）と、グリーンマテ茶（煎ってないもの）。後者は独特な臭いがあって飲みにくい。私が提案したのは、前者のローストマテ茶でした。社長が知っていた、後者のグリーンマテ茶のように飲みにくいものとは違う、ということをしっかり伝えました。

また、マテ茶が〝飲むサラダ〟〝飲む野菜〟と呼ばれていること。一人あたりの牛肉の年間消費量が日本よりも高いアルゼンチンの人たちは、なぜかＢＭＩ（肥満度指数）が低い。その秘密こそ、マテ茶だと私は考えていました。

実際、アルゼンチンやウルグアイは、マテ茶の消費量が飛び抜けて多い。だから、中南米のサッカーチームはタフだし、ポジティブだし、食事もエンジョイしている。元気に満ちあふれている。そんな仮説を立てていました。

しかも、２０１４年にはブラジルでのサッカーワールドカップ、２０１６年にはリオオリンピックも控えていました。ブラジルのムーブメントが来ている。これは、大いに賭けるに値する……。

3年越しの粘りの提案は、こうして日の目を見ることになったのでした。

「マテ茶を知っている」を国民の50%にするためのPR活動

「太陽のマテ茶」のコンセプトを、どんなブランドにしてマーケティングするか。ビッグプロジェクトだったため、日本の大手広告代理店、外資系の広告代理店、数社にコンペでの提案をお願いしました。

通常は、お願いするときは1社ずつブリーフィングを行うのですが、このときは全社同時に来てもらいました。お茶のトップの私、それから健康茶のブランドマネジャー、さらに担当ブランドマネジャーの3人に加え、社内のクリエイティブ戦略チームも加わりました。

お茶の可能性、「太陽のマテ茶」のミッション、ビジネス機会、ポジショニング、東日本大震災の話、南米のサッカーの話など、さまざまな話を盛り込みました。

通常、ブリーフィングは2、3ページのドキュメントにコンセプトシートを付けることが一般的ですが、3年もかかったこともあって、社内のクリエイティブ戦略チームもかなり気合いが入っていて、イメージ写真なども使った分厚いブリーフィングシートを作りました。

これからマテ茶というものを、何か意味あるものに作り上げていくという「MMM(Make MATE Matter)プロジェクト」と命名しました。製品ローンチは2012年3月です。

そして1社から素晴らしいアイデアが上がってきました。テーマは〝ラテンバイオリズム〟。食べる、遊ぶ、マテ茶。食べる、遊ぶ、マテ茶。そんなバイオリズムを作っていく、というのはどうか、と。面白いと思いました。

「太陽のマテ茶」導入当時は、「ラテンバイオリズム編」「合コン編」「失恋編」の3本のテレビCMを展開することにしました。

製品導入のPRイベントのときには、「踊るサンバ」をキーワードに郷ひろみさんに登場いただいたり、ブラジル人やいろいろなセレブリティに来てもらったりもしました。

2012年、飲料業界では2つのメガヒット商品が生まれました。一つはサントリーの「オランジーナ」。そして、もう一つが日本コカ・コーラの「太陽のマテ茶」でした。

初年度、「太陽のマテ茶」は約1200万ケースを売ったのです。1ケース24本入りとして、約3億本。初年度で1000万ケースを売るというのは、とんでもないことでした。しかし、それを達成したのです。まさにいろいろな要素が加わって、大きなトレンドを生み出することができたのでした。

あまり知られていないのですが、マテ茶の成功の大きな要因になった取り組みがありました。マテ茶を世に送り出すことが決まったとき、マテ茶についてのリサーチをしたことがあったのです。

シンプルに「マテ茶を知っていますか」というものでしたが、「聞いたことがある」という人が10%くらいでした。2012年3月に「太陽のマテ茶」をローンチするにあたり、このときまでに「マテ茶を聞いたことがある」という数字を、日本国民の50%にしよう、という目標を立てたのです。

そこで**ブラジル大使館、さらには日本マテ茶協会と組み、マテ茶を世の中に知ってもらう取り組みを進めました。**というのも、〝飲むサラダ〟〝飲む野菜〟という表現は、法的にできないことがわかったからです。でも、健康なお茶であることはなんとか伝えたい。

大使館や協会から「こんな面白い素材があるので、記事にしませんか」というプレスリリースを送ってもらったりしました。そうすると、実際に女性誌の取材が来たりするのです。さらに「マドンナが自分の美のためにマテ茶農園を持っている」という事実を発信したりしました。

今も覚えているのが、当時の人気番組「なるほど！ザ・ワールド」が賛同してくれて、アルゼンチンロケで「現地でみんなが飲んでいるお茶」としてマテ茶を紹介してくれたことです。しかも、クイズの答えとして。

最終的に「太陽のマテ茶」導入直前の3月半ばには、マテ茶の認知率は45%くらいまで上がっていました。これもまた、「太陽のマテ茶」大成功の要因の一つだったと思っています。

こういうことも、マーケティングの大切な一部の要素なのです。

品切れを起こさない生産在庫管理計画

1000万ケースを超えるほどの爆発的な成功になったことには、もう一つ、理由があります。品切れを起こさない生産在庫管理計画を綿密に立てたからです。「どれくらい売れそうか」という事前のリサーチを通じて、販売するケース数が出てきます。「太陽のマテ茶」では、年間で700〜800万ケースという数字が出てきました。

しかし、もしこの数字をそのまま採用して製品を製造していたら、早々に品切れを起こしていたはずです。そうなれば、あれほどの数字は出せなかった。

私は、「絶対にもっと売れるはずだ」と思っていたので、リサーチ結果にそのまま従うのではなく、1200万ケースの売り上げにも耐えられる、最初の3カ月のプランを組んだのです。

売り上げと受注数量を毎日トラッキングして、微調整をしていきました。というのも、製品の製造には、さまざまなモノが必要になるからです。製造のためのリードタイムの長いものは、早めに発注しなければなりません。ペットボトルのラベルのフィルムもそうでした。

さらには、キャップ。これはかなり早めに確保しておかないと間に合わないことがわかっていました。キャップがないために製品が作れない、なんてことにもなるのです。

ただし、多すぎる発注をしてしまったら、これはこれで問題になります。1年目に発注したものは、2年目に使えばいい、という考え方もありますが、キャップを保管する倉庫代もかかってきます。その費用も考え、リスクを判断しなければならないのです。

マテ茶の茶葉は船で輸入していましたが、足りないという緊急事態になったら飛行機を飛ばすつもりでした。実際、マテ茶を積んだジェット機を10機ほど飛ばすことになりました。

太陽のマテ茶

「太陽のマテ茶」の成功は、いろいろな要素がかみ合ってこそ、でした。何よりチームのパッションの強さ。3年間、練りに練ったコンセプトが良かったこと。味も本当においしかった。マーケティングも良かったし、マテ茶のPRの仕掛けも良かった。

さらに品切れを起こさなかったこと。これは、大学の卒業論文で書いた「アサヒスーパードライ」の戦略を学んだことも大きかった。当時のトップ、樋口廣太郎さんは、「スーパードライ」はもっと行ける、だから社運を賭けてラインを増やす、と考えたのです。

実際、他の製品はすべて輸入してでも「スーパードライ」にラインを回す、ということまでしていた。だから、「スーパードライ」は爆発的にヒットし、シェアトップに躍り出ることになったのです。「スーパードライ」の成功は、商品力の強さだけではなかったのです。

「太陽のマテ茶」も、ビッグプロジェクトでした。在庫を切らすわけにはいきませんでした。そこで、供給量をしっかり確保することにこだわったのです。

韓国では「太陽のマテ茶」は今も人気

初年度1000万ケース超えという大ヒットを記録した「太陽のマテ茶」でしたが、2年目は700万ケース、3年目は500万ケースと数字を落とし、やがて日本コカ・コーラの製品ラインナップからは姿を消すことになります。

これには明確な背景がありました。**日本のマーケットに「トクホ」（特定保健用食品）が登場したのです。**カラダを締める、南米古来の健康茶、といったメッセージを発した「太陽のマテ茶」でしたが、その市場に「トクホ」の製品が次々に出てきました。

トクホは開発するのに大変なお金がかかります。1億円以上かかるケースもある。それは、人を使って治験をしなければならないからです。飲んだ人、飲んでいない人で臨床試験を行い、実際に差があるという証拠を提出しなければいけないのです。

トクホの取得には、時間もかかります。申請してから取得まで、当時は2年ほどかかりました。そこまでの開発を行い、費用も時間もかけ、「脂肪の吸収を抑える」等をメッセージしたのが、トクホでした。

同じメッセージを掲げていた「太陽のマテ茶」の失速は、ある程度仕方のないことだったと思っています。

新製品の開発という点で、P&Gとコカ・コーラの違いも理解しました。P&Gは、製品づくりにテクノロジーがかなり関わってきます。物理的な構造を、機械を使って高速で作れるかも問われてきます。研究開発のテクニカル面が問われたのです。

もちろんコカ・コーラでもテクノロジーは求められます、ただ、扱っているものが飲み物なので、アイデアさえあれば、比較的作りやすい、ともいえます。

だから、**飲料の世界では「千三つ」という言葉があるのです。当たるのは1000に3つ、の意です。**新しい製品を開発し、世の中に送り出しやすいけれど、残すことが難しい。世の中はどんどん変化していくのです。「太陽のマテ茶」の場合も、製品が悪いというより、トクホという、どうにもあらがえないカテゴリーが出てきてしまったことが主要因です。

実際、今も「太陽のマテ茶」が人気の国があります。韓国です。日本とまったく同じパッケージで名前がハングル文字になっているものが、今も売られています。

コカ・コーラ社はオリンピックの公式スポンサーですが、2018年に韓国の平昌《ピョンヤン》で行われた冬季オリンピックの選手村に行ったとき、選手村にコカ・コーラ社の製品が並んでいました。そこにはハングルのラベルの「太陽のマテ茶」がずらりと並んでいたのです。

南米の人たちはそれを見て「マテ茶だ」と、にっこりしていました。会場に南米の人たちが来ると、急速な勢いで在庫が減っていきました。日本では定着し切れなかった「太陽のマテ茶」ですが、今でも売れていたのです。

私は今でも韓国に行ったら、「太陽のマテ茶」を買って帰ってきます。また、コーヒーや輸入食品を扱っているカルディコーヒーファームにはマテ茶の茶葉が売られているので、ローストマテ茶を買って飲んでいます。夏場は、麦茶の代わりにとてもいい。

こうして今もマテ茶好きが続いているのは、1990年にマテ茶に出会っていたからです。過去の経験というのは、きわめて大事なのです。

消費者にリサーチしてもマテ茶は出てこない

初めてマテ茶を飲んだのは、卒業旅行で南米に行った1990年。まさか、そのときの経験が、後の仕事キャリアで生きてくるなどということは、夢にも思いませんでした。仕事で生きたのは、自分の好きな気持ちを大事にしたからだったと思っています。

実際に日本に帰国後も、輸入されたマテ茶を買ったり、ブラジルに行く友人に頼んでティーバッグを買ってきてもらったりもしました。マテ茶に少しレモンのフレーバーが入った「マテレオン」のティーバッグがとてもおいしいのです。

それこそ、山積みできるくらい家にストックを置いておいて、それをずっと飲んでいました。友達に飲んでもらって「おいしい」と言ってもらえたこともありました。

マテ茶というおいしいものがある。これを世の中の人に知ってもらえたら。実はずっと長く抱いていた、この思いこそが、「太陽のマテ茶」の原点でもあるのです。

100以上のアイデアが社内の会議で出てきた中で、やっぱりどうしてもマテ茶をやりたい、と思ったのは、私自身のこうした強い思いがあったからです。

理解しておかなければならないことは、いくら綿密に消費者にリサーチをしたとしても、「どんなものが飲みたいですか」とヒアリングしたとしても、マテ茶が出てくることはまずない、ということです。

また、リサーチの段階で「マテ茶という飲み物をどう思いますか」と普通に聞いていたら、「特に飲みたくない」で終わってしまったかもしれない。世の中に飲み物はいくらでもあるわけですから。

後に1000万ケースを超える大ヒットになったのに、「特に世の中からは求められていない」というリサーチ結果が出ていた可能性は高いのです。

では、なぜマテ茶が私の中から出てきたのか。それは、過去に実際に経験していたからです。

マテ茶のおいしさを自分で体感していたのです。これこそが、後に書く「コネクティングドット」です。

きっとヒットするという確信があったからです。

3年連続で経営陣に提案したのは、まさに執念だったと思います。当時の社長も「また和佐がマテ茶を持ってきたのか」とあきれていました。「あきらめないんだな」と。

私は、「何回も言うけれど、あなたが南米で飲んできた、ホットのグリーンマテ茶とは違う」と毎回、当時の社長に言っていました。

プレゼンテーションでは、キンキンに冷やしたローストマテ茶を配りました。ブラジルで消費者が飲んでいたのは、冷えたマテ茶だったからです。

実際に茶葉も見せました。日本人にとっては、茶葉はなじみのあるものですが、外国人にとっては、そうではありません。だから、茶葉を見せれば「ほう」ということになる。知らないのです。

そもそも緑茶、ウーロン茶と紅茶が、基本同じツバキ科の葉っぱからできていることも知らない。それも教えてあげると驚かれます。マテ茶と麦茶の違いも説明する。そうすると、知的好奇心もくすぐられます。

おかげで「太陽のマテ茶」は、テストマーケットなんかすっ飛ばして一気に行け、と指示が出て、予算も大きくつけてもらうことができたのです。

3000人を前にサンバを歌い踊る!?

「太陽のマテ茶」では、一つ忘れられないエピソードがあります。コカ・コーラのビジネスの仕組みの特徴は、製品の開発やマーケティングを担う日本コカ・コーラと、製造と販売を担い全国に2万人の従業員を持つボトラー社がタッグを組んでいることです。

2012年1月のビジネスプランミーティングは、そのボトラー社から約3000人が集まり、東京の両国国技館で行われました。ここで、3月に発売になる「太陽のマテ茶」という新製品を発表することにしていたのです。

「綾鷹」を成功させたことで、社内での私の知名度はかなり高まっていました。今度は和佐が何を始めるのか、という期待感もあったようです。

私としても、3000人が集まるこの場で、「太陽のマテ茶」のポテンシャルをしっかり伝えたかった。そこで、インパクトを持って受け入れてもらおうと、一つの演出を用意していたのです。それが、ステージ上にサンバ隊を呼び、サンバの音楽とともに踊ってもらうことでした。

プレゼンテーションをまず行って、最後の景気づけに「ブラジルの国からサンバ隊がやってきました。これで日本中を真っ赤に染めていきましょう！」という私のアナウンスとともに、「チャンチャン、チャチャーンチャチャチャン、チャチャチャチャチャーン～♪」とサンバのリズムが館内に響き渡ります。

そしてサンバ隊が出てきて踊り始める。そこまでは予定通りでした。ところが、30秒ほどで、機材トラブルで音楽が止まってしまったのです。

しかも、なかなか復活しない。私はちょうどステージの一番奥にいたのですが、20人ほどのサンバダンサーが不安そうに私を見つめています。どうすればいいのか、と視線を送ってくるわけです。

マイクを持っていた私は、自分でも思いがけない行動に出ました。「チャンチャン、チャチャーンチャチャン、チャチャチャチャチャチャーン～♪」と自分で歌い始めたのです。

そして、「ダンス！　ダンス！」とサンバダンサーに呼びかけ、マイクを持ってアカペラで歌いながら、自分でもサンバを踊りました。以前P＆Gの社員旅行の余興でマツケンサンバを猛練習して踊ったことが、こんなところで役にたつとは夢にも思っていませんでした。

1分ほど踊ってサンバダンサーはステージを去る流れでしたから、そのまま私もサンバ隊と一緒にステージを去りました。

3000人のボトラー社の方々は、かなり驚いたと思います。歌って踊ったのは、演出だったのか、それともハプニングだったのか、彼らにはわからなかったようです。いずれにしても、後からこんなことを言われました。

「ステージ上でサンバの曲を歌った、すごい度胸の新人だ。やっぱりあいつは何か持っている」

私はまだ日本コカ・コーラに入って3年目でした。まだまだ外から来た人、という印象は強かった。しかし、この出来事でようやくコカ・コーラの人間だと認めてもらえたようです。

2023年に日本コカ・コーラを辞めることになったとき、多くの人に言われました。

「いろんなことがありましたが、あの国技館での和佐さんのサンバの歌は忘れません」

マーケティングの仕事を始めて一つの目標になったのは、50年、100年と歴史に残るような定番商品を一つでも世の中に送り出すことでした。世界で売れるような製品になれば、もっとうれしい。

「太陽のマテ茶」はその可能性がある商品だと今も思っています。

「からだすこやか茶W」

（お茶カテゴリー　マーケティング責任者　ヴァイスプレジデント）

～「見え方」を変えるだけで、商品の印象は激変する

「甘いものをいっぱい食べても大丈夫」に反応なし

2009年7月にお茶カテゴリーのマーケティング責任者として入社した私でしたが、翌月、もともと予定されていて販売が始まった商品がありました。それが、「からだすこやか茶」でした。日本コカ・コーラ初のトクホの商品でした。

コンセプトは「ご飯や甘いものが大好き。でも血糖値が気になり始めた人のためのトクホの健康補助茶」。食物繊維の働きで、食後の糖の吸収をおだやかにしてくれる。食事によく合う、ほうじ茶ベースのブレンド茶です。

「からだ巡茶」という漢方やハーブをベースにした人気ブランドがあり、そのブランドの新製品という位置づけでした。特徴的だったのは、白を基調にしたパッケージだったことです。お茶で白いパッケージというのは珍しい。

聞けば、その斬新なパッケージを作るために、いつもお願いしているデザインエージェンシーではなく、ソニーのデザインチームに頼んだのだそうです。当時「からだ巡茶」は大ヒットしていました。

ところが、このトクホ「からだすこやか茶」は売れなかった。テレビCMでも、「甘いものをいっぱい食べても大丈夫」というメッセージを発しましたが、まったく売れなかった。結論として商品にエッジがなかったのだと思います。競合とはっきり差別化できるような要素がなかった。だから、売れなかったのです。

「綾鷹」「太陽のマテ茶」の次は、大きなマーケットになりつつあったトクホのお茶ブランドの育成が急務になりました。ところが、ここから長い道のりが始まります。これも、私の執念でした。そして5年後の2014年、大ヒット商品「からだすこやか茶W（ダブル）」が生まれるのです。

そもそものアイデアを持ってきたのは、研究開発のメンバーでした。「からだすこやか茶」が売れていないということで、それを「W」に変えて売ることを考えたのです。Wは、「脂肪の吸収」と「糖の吸収」を両方、おだやかにすることを可能にしたという意味です。

先にも書いたように、トクホは治験が必要になります。脂肪の吸収をおだやかにする、糖の吸収をおだやかにする、ということを治験で証明しなければいけない。億単位の費用がかかります。巨額の費用と時間をかけて、初めて脂肪も糖も吸収をおだやかにすることが証明できたのです。
「脂肪の吸収」と「糖の吸収」、一つで2度おいしいということで「Wトクホ」。しかも、世界初の「Wトクホ」。

さらに、トクホはカテキンが入っていたりして、苦いものが多かったのですが、緑茶ベースではなく、ウーロン茶とほうじ茶がベースで飲みやすいことも特徴でした。トクホなのに、おいしく飲めるのです。私は話を聞いた瞬間、これは売れるはず、と思いました。

ところが、コンセプトテストをしても、残念なことに芳しい結果は出なかったのです。

コンセプトは、もうこれ以上よくならない

当時、新しいトクホを出すときの条件を設定しました。それは、市場で一番売れている競合のトクホと同等か、それに勝る購入意向をリサーチで獲得できること、でした。

「からだすこやか茶W」は、コンセプトの段階でリサーチをしても、まったくダメでした。競合に比べ、購入意向はマイナス10ポイントという数字。まるまる1年かけて、さまざまに準備をしたのに、この結果でした。

その後も、3〜4カ月に一度、やり直しをして、またコンセプトテストにかけましたが、やっぱりダメ。練りに練った最終コンセプトは、こんなものでした。

普段の食生活は変えていないのに、最近お腹まわりが気になる。でも、トクホは値段が高いし、あまり効果がないと思っている。これは、普段の食生活を一切変えずに、太りにくい体を実感できる、新しいトクホです。

食物繊維の働きにより「脂肪の吸収」と「糖の吸収」の両方を抑える、1本で2つの効果を持つ「日本初」のW（ダブル）トクホ。

肉などの「脂肪」にはもちろん、ごはんやパスタ、ケーキなど、普段の食事に多く含まれる「糖質（炭水化物）」の吸収も一緒に抑えてくれます。

どんな食事とも合うクセがなくすっきりとしたブレンド茶で、しかも値段はお手頃、毎日の食事を楽しむためのパートナーです。


言いたいことは、すべて盛り込みましたが、これでは競合には勝てないと思いました。

もう勝てないとわかったのなら、普通は「出すのはあきらめましょう」ということになると思います。普通の会社の普通のマーケターは、ここで止めてしまう。出しても売れないから、ここであきらめてしまおう、と。

しかし、私の中ではどうにもモヤモヤがありました。とにかく、いい商品なのです。なのに、なぜ伝わらないのか。一つ思ったのは、コンセプト文が長すぎるのではないか、ということでした。

そもそも広告は、テレビにしても15秒から30秒です。その時間で、**こんな長いコンセプト文はとても伝えられない。**説明し切れない。ということは、読めないことをコンセプトとしてテストしても、それはやはりいい結果は出るはずがない、とマーケティングの基本に立ち戻ったのです。

ならば、2行くらいの短いフレーズで、端的にコンセプトを伝えることはできないだろうか。簡単にこの製品について、うまく言える方法があるはずではないか。

しかし、私にはその知恵はありませんでした。P&Gで得たスキルは、ロジックで考えることでした。左脳で考える人間には限界があることに気がついたのです。

それは私の能力のキャパを超えている、ということを意味していました。それなら、私や私のチームがいくら考えていてもラチがあかない。そこで、助けてもらうことを考えたのです。

「おいしいものは脂肪と糖でできている」

「からだすこやか茶W」のコンセプトを、もっとわかりやすく説明できないか。自分には縁遠い右脳、クリエイティブの部分で考えられないか。そこで頼ることにしたのが、広告代理

おいしいものは脂肪と糖でできている。
糖（麺）
脂肪（スープ）

店でした。

通常、広告代理店が製品のコンセプトづくりから入ってくることはありません。マーケティング担当者が研究開発やリサーチのチームとディスカッションしてコンセプトを考え、パッケージを考え、ネーミングを考える。広告代理店にお願いするのは、そこからです。

しかし、「からだすこやか茶W」のコンセプトでは、思い切って広告代理店のクリエイティブのコピーライターに入ってもらうことにしたのです。このコンセプトを、もうちょっとわかりやすいアイデアに変えてもらえないだろうか、と。

そして出てきたキャッチコピーがこれでした。

「おいしいものは脂肪と糖でできている」

短いボディコピーが記されたシートには、料理の写真が添えられていました。


日本人は脂肪と炭水化物が大好きだ。

サンドイッチ、パスタ、カツ丼、カレー、ラーメン、ケーキ。

それはきっと、その組み合わせをカラダがおいしいと感じてしまうから。

脂肪と糖（炭水化物）は、一緒に摂ると栄養として吸収しやすい。つまり「太りやすい」ということ。

けれどおいしいものは、やめられない。好きなものは、楽しく食べたい。だから日本人にはこのお茶が必要だ。

脂肪も糖も抑える、日本初のWの効果でWトクホ
新・トクホ茶　からだすこやか茶W。


依頼をしてから1週間ほどで送られてきたコンセプトシートを見て、私は激しい衝撃を受けました。思わず、「これだ」と声に出していました。これは誰が書いてくれたのか、と。その人をハグしたかったし、直接お礼を言いたいと思いました。

1年間、日本コカ・コーラのマーケティング、研究開発、リサーチの十数人が寄ってたかって作ったコンセプトが、たった1週間ほどで驚きのフレーズに変わっていたのです。何よ

り、わかりやすかった。

製品自体は変わっていません。見せ方一つで、これほどまでに見え方が変わるのか、と自分でも驚いてしまったのです。

あなたの好きなラーメンも、カツ丼も、ケーキも、元を正せば脂肪と糖。おいしい、食べたい、でも太ってしまう。だから、あなたのためにWトクホを用意した。こうなると、「これを待っていたんですよ」となる。

きっとそういうテスト結果が出ると思っていました。実際、私たちが作ったコンセプトシートよりも、はるかにこのコンセプトシートのほうがわかりやすかったのです。しかし、ここで問題が起きたのでした。

そのシートでリサーチすることは、まかりならん

コンセプトテストでは、社内のフォーマットに沿ったコンセプトシートを使うことが決まっていました。せっかく、わかりやすいコンセプトシートができたのに、社内のわかりにくいコンセプトシートを使ったテストでなければならない、とリサーチ担当者に言われてしまったのです。

コピーライターに作ってもらったコンセプトシートでテストにかけてはいけない。パッケ

ージは載せてもいいけれど、補助的な絵も使ってはいけない、と言われました。コピーは使ってもかまわないが、料理の写真はダメだ、と。

でも、私が感じたのは、さまざまな料理の写真とコピーが一体化しているからこそ、パンチがあるということでした。写真を外したのでは、インパクトが半減してしまう。それでは、競合の最強商品とは肩を並べられないと思いました。

製品にはこんなに魅力があるのに、その魅力を伝えられるコンセプトシートがテストで使えず、お蔵入りしてしまう。それは、なんとももったいないと思いました。

なんとかして、リサーチする方法がないのか、リサーチ担当者に泣きつきました。ちなみにこの担当者は、「太陽のマテ茶」を応援してくれた同僚です。

しかし「これを使ったコンセプトテストはダメだ」の一点張りです。最後は押し問答になりましたが、どうしても譲ってくれません。

そして妥協案が生まれました。コンセプトは、フォーマットに沿ったコンセプトシートで行う。その後、テストを終えてから、補助的にコピーライターが作ったコンセプトシートを見せる。「今の製品をこんなふうに表現すると、あなたの印象はどう変わりますか」という質問を追加でしてみることにしたのです。

すると、これがとんでもないスコアをたたき出しました。購入意向で競合のスコアよりも圧倒的に高いスコアを「からだすこやか茶W」はたたき出したのです。

そして、コピーライターが作ったコンセプトシートを見て、家に製品を持って帰ってもらい、飲んでから「もう一度買ってみたいですか」と値段も提示して聞いてみました。そうすると、大成功している業界ナンバーワンの競合商品よりも「こっちを買いたい」というリピート率が出たのです。

私が最初に直感的にいいと思った、日本初の脂肪も糖も吸収を抑えてくれるWトクホの研究開発のアイデアは、やはり正しかったのです。かつ緑茶ベースではなく、ウーロン茶のブレンドベースで飲みやすくしたのも、ものすごくいいアイデアでした。

問われていたのは、これをどう消費者に見せられるか、だったのです。ワクワクし、手に取ってみたい、と思わせられるか、だったのです。

瀬戸際のギリギリまで踏ん張ったか

クリエイティブの助けを思い切って借り、コピーライターが作ったコンセプトシートができてからは、チームが自信を深めることができました。そして、製品にゴーサインが出て、コンセプトシートはそのまま広告になり、テレビCMになりました。

パスタ編、お寿司編とありますが、すべては脂肪と糖でできていることを端的に映像で示す、きわめてわかりやすい広告になりました。おいしいものは脂肪と糖でできている。だから、食べるのをやめられない。そこで「からだすこやか茶W」。

広告のテストでも、とんでもない好意的スコアが出ました。実際に販売が始まると、まさに爆発的に売れたのです。大きさも350ミリリットルですから、ちょうど飲みやすく、カバンにも入れやすい。あっという間に、市場に浸透していきました。

発売したのが、2014年。発売からもう10年近くになりますが、日本コカ・コーラのトクホ茶の看板商品として売れ続けています。あと20年、30年と売れることになれば、本当の定番商品です。

Wトクホですから、プレミアム作戦という方法があったのかもしれません。しかし、ここでもど真ん中を攻めることにしました。そもそもトクホそのものがプレミアム価格。もとより利益率は高い。ここでプレミアムにするよりも、マーケットのパイを広げたほうがいいという戦略を取ったのです。

そのためにも、製品を出すにあたって、あえて厳しい条件がつけられていたのでした。それが、トクホでももっとも売れている競合の製品と同等以上の購入意向がなければ出さない、ということだったのです。

実際、後追いだと、出す価値がないと私は思っていました。高いハードルを設定することは、大切です。それこそナンバーワンの半分でも取れたらいい、などという考えで市場に入っていくことは危険です。

1000億円の市場なら、100億円でもいいじゃないか、と考えてしまいがちです。しかし、そんな考え方では100億円も売れないのです。そうは考えず、真正面から競合と戦いにいったからこそ、とんでもないブランドに育った。

現実には、「からだすこやか茶W」は何度もくじけそうになり、あきらめそうになった製品でした。それでも頑張ろうと、粘りに粘って最後に勝った商品だと私は思っています。「出すのは、無理なのではないか」という中で、最後まであきらめなかったのです。

「もうあきらめてもいいんじゃないか」という気配は何度も漂いました。

あらためて思うのは、アイデアを生かすも殺すも、やり遂げる情熱とトライ&エラーの模索が肝要だということです。「綾鷹」もそうでしたが、**もう売れないブランドと烙印を押されたものを再生するにあたっては、瀬戸際で徹底的に踏ん張ることができるかどうかが問われるのです。**

その意味では、これまで瀬戸際のギリギリまで頑張らなかったから世の中に出なかったイノベーションは、たくさんあるのだと思います。もったいないイノベーションの種は、世の中に少なくないと思うのです。

広告代理店を戦略的なパートナーにしていく

そしてときには、会社のルールを少し破ってでもやれるか、が問われると思っています。日本コカ・コーラでは、製品の導入が決まらない限り、広告代理店に対してのブリーフィングは基本行わないのです。

「からだすこやか茶W」でも、コンセプトテスト、製品テストをし、競合の最強商品と同等以上の購入意向がなければ、製品にはゴーサインは出ないことになっていました。広告代理店へのブリーフィングは、そうなって初めてできる。

導入決定するまで、広告代理店の力を借りてクリエイティブを作ることは基本的にNGだったのです。

しかし、私には何よりパッションがありました。既成の考え方、ルールではないところに、何か方法論があるのではないか、殻を破るべきではないか、と思ったのです。P&Gで学んだ、問題解決へのこだわりでした。何か問題があったら、どう解決するのか。そのための強烈な思考が働いたのです。

なぜなら、絶対に売れる商品だと思ったから。でも、自分では解決ができない。だったら、少し会社の規定から外れるけれど、外部のクリエイティブに入ってもらおうと考えたのです。

結果的にクリエイティブのコピーワークによって素晴らしいものが出てきた。まさにこれだ、と思った。絶対にこっちのほうが良かった。それは一目瞭然でした。100人いたら99人、こっちのほうがわかりやすくて魅力的だ、と言ったと思うのです。

P&G時代から、広告代理店を戦略的に活用させてもらう、という取り組みを進めていました。その経験も大きかったと思います。

そのためにも、広告代理店とのお付き合いにあたって、P&Gが注意していたことがあります。それは、**出入り業者のように扱わない**、ということです。

P&Gでは、いわゆるコンペはほとんどありませんでした。ビジネスを一緒に作っていく**パートナーという位置づけ**でした。だから、よほどの問題がない限り、各ブランドごとでグローバルと同じく一つの広告代理店を使うのが、P&Gジャパンのやり方でした。

パートナーですから、会議をするときに毎回、自分の会社に呼んだりしない。50：50が原則でした。P&Gジャパンの場合は、オフィスが神戸でした。広告代理店の多くは東京にあります。そうすると、打ち合わせに神戸に来てもらわないといけない。ですから、神戸に来てもらったら、次は私たちが東京に出て行くのです。それはルールになっていました。それくらい、広告代理店を大切にし、パートナーとして扱うという文化がP&Gにはありました。

ですから、日本コカ・コーラに入ったときにはびっくりしました。コンペはガンガンあるし、打ち合わせは常に社内。中には、広告代理店を出入り業者のように扱う社員もいました。失礼を失するマーケターもいたので、私は厳しく指導しました。P&Gジャパンのときのように戦略的パートナーのような存在にしていきたかったからです。

「綾鷹」「太陽のマテ茶」、そして「からだすこやか茶W」の成功で、日本コカ・コーラのお茶カテゴリーは成長軌道に乗っていきました。会社からは感謝の声をもらい、私はヴァイスプレジデントから、シニアヴァイスプレジデントに昇格することになりました。副社長の肩書きをもらったのです。

そして、日本コカ・コーラの中でもっとも大きな売り上げと利益を出している領域の再生を委ねられることになるのです。それが、コーヒーでした。

第3章

大きな3つの失敗からの貴重な学び

失敗は成功へのステップ

「プロキープ」
～消費者の習慣を変えるのは簡単なことではない

ボウルの縁に指を沿わせると密閉できるラップ

ここまでP&Gジャパン、日本コカ・コーラでの取り組みを紹介してきました。うまくいった話を書いていますが、もちろんすべてがそうだったわけではありません。失敗した事例もたくさんあります。

失敗は痛手であることは言うまでもありませんが、一方で貴重な学びを与えてくれます。この章ではそんな3つの実例をご紹介しておこうと思います。

一つ目は、P&G時代のホームケア担当だったときに出した「プロキープ　密着シート」です。名古屋でテレビCMも展開し、テストマーケットを行ったので、ご記憶のある方もおられるかもしれません。

「プロキープ」は、アメリカでは「GLAD」という名前のブランドで展開されていました。キッチンで使うラップのようなものなのですが、ラップの裏側に小さな突起がついていて、手で押すとその突起がプツプツとつぶれ、くっつくのです。

かなり強くくっつきます。実際、たとえばスープを入れたボウルにラップをかけ、ボウルの縁に指を沿わせていくと、ボウルが密閉され、横にしてもスープがこぼれることはないのです。

また、ハンバーグを作り置きしたいとき、ラップの上にいくつも並べて置き、ハンバーグの形に添って指でプチプチとつぶしていけば、ハンバーグが入った凸凹状態の真空パックのようにできてしまう。

子どもはジュースをよくこぼしたりしますが、ジュースを入れたコップを「プロキープ」で密閉し、そこにストローを突き刺す、なんてこともできます。これならコップが倒れても、ジュースはこぼれません。いろんな使い方ができる製品でした。

P&GがGLAD社のテクノロジーを使い、製品を出せるライセンスを持っていたので、これを日本で導入できないか、という打診がアメリカ本社からあったのでした。

ホームケアのチームでさまざまに議論し、「プロキープ　密着シート」というネーミングにしました。そして、テレビCMを作りました。ペンギンが宇宙ステーションのような近未来の家に住み、「プロキープ」を使って便利な生活を謳歌する、という内容の面白いシリーズでした。

こうして名古屋でテスト販売をすると、あちこちのお店で品切れを起こしてしまい、これは大変なことになると増産をかけました。ところが、3カ月ほどで売れ行きがピタリと止まってしまったのです。

ボウルの縁に指を沿わせるだけで密閉できてしまう。皆さん、面白がっていろいろな使い方を試してくださったようです。ところが、だんだんと、こんな思いに至っていったようなのでした。

「別に、これでなくてもいいんじゃない?」

タッパーウェアもあるし、普通のラップもある。わざわざ「プロキープ」を使って、面倒なプチプチをやらなくてもいいのではないか、と。

発売6週間で、販売は打ち切りとなってしまいました。

実は名古屋でのテスト発売前に、消費者による使用テストをしていました。使用テストでは、高い評価を得ていました。便利だ、面白い、いろいろ使えそう……。

このときの反省は、2、3カ月という長期のテストをしなかったことです。もしかすると、長期の消費者テストをしていたら、「3カ月すると、反応が鈍くなりますね。どうしてでしょうか」という考察ができたかもしれません。

しかし、そうしたテストの設計にはせず、「評価も高いし、行けるのではないか」「長期の反応は名古屋で見ればいい」と、1週間ほどのテストで名古屋での展開を始めてしまったのです。

結果は、売れ行きが止まり、在庫の山となりました。P&G時代に私が担当した商品で、もっとも会社に損失を与えた失敗になりました。

買ってもらえない理由ははっきりしていましたから、すぐに撤収しました。このときわかったのは、**消費者の習慣を変えるというのは、とても難しいということです。**

たしかに「ファブリーズ」も生活習慣を変えるものではありましたが、それを上回るベネフィット（便益）があった。

ソファしかり、カーテンしかり、家の中にはなかなか洗いにくいものがあって、その臭いが取れたり、除菌ができたりというのは、もともと潜在的に大きなニーズがあったのです。だから、「ファブリーズ」は成功したのですが、「プロキープ」はうまくいきませんでした。

消費者の習慣を変えられるくらいのエッジが立っていないと、一見、便利に見えても、そう簡単にはいかない、ということです。それを痛感することになりました。

「やられた」と悔やんだ競合の花王「ヘルシア」茶

また、「ファブリーズ」と言えば、これは失敗とまではいきませんが、マーケターとしてやられたな、と感じていたものがあります。花王の「ヘルシア」です。植物に含まれるポリフェノールが持つ健康機能に着目したトクホ茶です。

日用品メーカーの花王がトクホ茶という飲料を出したというのでびっくりしたのですが、よくよく見てみると、「ファブリーズ」に入っている成分と同じものが入っていたのです。「サイクロデキストリン」という繊維質です。

「ファブリーズ」は、この繊維質が臭いをカプセルに閉じ込めてくれる。それが、臭いが取れる仕組みでした。

「ヘルシア」は茶カテキンがたくさん入っていることが大きな特徴ですが、なんとこの「サイクロデキストリン」のカプセルに閉じ込めていたのです。だから、茶カテキンがたくさん入っているのに、強い苦みを感じない。

普通に飲んだら苦すぎる量のカテキンを、「サイクロデキストリン」を使うことによって、苦くなく飲める。だから、カテキン効果を存分に得られる。

「サイクロデキストリン」をトクホの緑茶で使う、というのは、私には驚きでした。同時に悔しい思いをしました。なるほど、こんな使い方があったのか、と。「ヘルシア」は大ヒットしましたが、もしかしたらP&Gでも作れたかもしれないのです。

日用品メーカーのP&Gがトクホ飲料というのは当時は発想がなかった。しかし、同じカテゴリーのメーカーである花王はそれを実現させた。健康志向という軸で考えていったのでしょう。そして大ヒットさせた。

マーケターには、まだまだできることがあるのだな、とあらためて思ったのでした。

「紅茶花伝×イギリスの高級デパート」
〜思わぬところに、落とし穴は潜んでいる

ストレートティ、レモンティをどうにかしたい

失敗の事例の2つ目は、日本コカ・コーラの「紅茶花伝」ブランドから出そうとしたストレートティをめぐるエピソードです。

「紅茶花伝」と聞くと、皆さんはどんなイメージを持たれるでしょうか。今でこそプレミアムラインを打ち立てて、ストレートティも強くなってきていますが、私がお茶カテゴリーを担当していた頃は「紅茶花伝」と言えばミルクティを思い浮かべる人がほとんどでした。

実際、「紅茶花伝」のミルクティは大人気の商品でしたし、味もとても評価が高かった。それこそチベットのダライ・ラマ法王が日本に来ると、日本のコンビニで「紅茶花伝」を買っていった、という逸話があるほどです。

「日本には、こんなおいしい容器入りのチャイがある」

そんなメッセージを発信してくれたこともあったと耳にしています。

正式名称「紅茶花伝ロイヤルミルクティー」は、とてもいい茶葉を厳選して使い、国産牛乳を100％使って製造していました。こうして「ロイヤルミルクティと言えば紅茶花伝」と言われるほどのブランドを確立していったのです。

ところが「紅茶花伝」というとミルクティのイメージが強すぎて、同じ「紅茶花伝」のブランドをつけたストレートティやレモンティがなかなか売れませんでした。紅茶の売り上げの大半を「紅茶花伝」のミルクティが占めていたのが、当時の日本コカ・コーラだったのです。

しかし、紅茶のマーケット全体を見てみると、ストレートティとレモンティのほうが、実は大きかった。このマーケットに入っていくには、「紅茶花伝」ブランドのエッジがあまりにもミルクティに寄ってしまっていたのです。

さまざまなディスカッションを経て、一つの方法論が最終的に見つけられました。「紅茶花伝」から派生のブランドを出していくのですが、そのためにコラボレーションをすることです。**「綾鷹」が「上林春松」というブランドを借りてきたように、どこかのブランドと組むことを考えた**のです。

紅茶担当のブランドマネジャーと一緒にいろいろ模索し、候補に挙がったのが、さるイギリスの高級デパートでした。紅茶ブランドとして有名なものはいくつもありますが、すでに日本企業がブランドの使用権を持っているケースも少なくありません。

そんな中で、そのイギリスの高級デパートのブランドは、競合との提携もなく、もともと紅茶から発祥していたという歴史を持っていました。そこで、パートナーシップを推し進めることにしたのです。

折しもP&G時代、化粧品を担当していたときの外国人上司が、フランスの大手百貨店のCEOをしていました。そこで彼にメールを入れ、「イギリスの高級デパートのマネジメントやCEOを知らないか」と聞いてみたら、「もちろん知っている。よく会食しているよ」と返事がきたのです。

こうして「コカ・コーラとコラボレーションをしたいので、つないでくれないか」と伝えると、「この人にメールしてみて」とCEOのメールアドレスを教えてくれたのです。

ＣＥＯにメールを入れ、「コカ・コーラとのコラボレーションの可能性を探りたい」と伝えると、「では、ライセンシングやグローバルパートナーシップを行っているディレクターのメールアドレスを教えるので、彼と話をして」ということになりました。

候補に挙がって1週間後には、イギリスの高級デパートのグローバルのパートナーシップのディレクターとメールをやりとりでき、３週間後に彼に日本へ来てもらうという約束を取り付けたのです。

どうにもできない、ということが世の中にはある

この間に、さまざまなリサーチを推し進めることにしました。ストレートティでは、他社の圧倒的競合がありました。「紅茶花伝」ブランドでは、まったく太刀打ちができていませんでした。

ところが、ここで「イギリスの高級デパート」のブランドでリサーチしてみると、状況が一変しました。

競合をはるかにしのぐ製品購入意向を達成し、これが実現すれば、間違いなく売れる、と確信しました。なんと素晴らしい発想が出てきたか、と鬼の首を取ったかのような盛り上がりがチームに生まれました。私も、いやぁ、また大ヒットが出てしまうなぁ、などと思って

いました。

ただし、いろいろ大変なこともありました。まず日本コカ・コーラのトップにＯＫをもらわなければいけませんでした。というのも、コカ・コーラには、他社のブランドを販売しない、生産しない、マーケティングしないという理念があったからです。

だから「イギリスの高級デパート」を前面に出すのはダメ、あくまで、「紅茶花伝」とのダブルネームにする。ここは仕方がないと思っていました。

折しも当時はロンドンオリンピックを控えていた時期です。ちょうどリオオリンピックのときにマテ茶が爆発的にヒットしたこともあって、次はロンドンが盛り上がるという流れにも乗れると思いました。

そしてマーケティングプランを作り、日本コカ・コーラの社長のＯＫも取り、アトランタのコカ・コーラ本社のＣＭＯの承認も得ました。こうして日本コカ・コーラとイギリスの高級デパートとの契約を結ぶことになりました。法律的な準備も推し進め、あとはお互いにサインをするだけ、というところまで進めることができたのです。

では、最終的な契約を交わしましょう、と連絡を入れ、楽しみに返信を待っていたら、思わぬメールが来ました。謝りのメールでした。

「ＣＥＯはＯＫと言っている。ところが、親会社のＯＫが取れなかった」

親会社？

なんとイギリスの高級デパートの親会社は、ある中東の国だったのです。中東の一国が、そのイギリスの高級デパートを買収していたのです。

国の王様からNOと言われてしまうと、もはや、どうしようもありませんでした。友人だった駐日コロンビア大使に「その中東の国の大使を紹介してもらえないだろうか」と相談をしてみましたが、彼は言いました。

「和佐さん、紹介はできるけど、その中東の国の大使に会ったところで、王様がノーと言っていることは、どうにもできないよ」

そんなアドバイスをもらい、さすがの私も、泣く泣くあきらめるしかなくなってしまったのでした。

今、振り返ってみても、実現していたら絶対に爆発的に売れていたと思います。しかし、思わぬところに落とし穴は潜んでいました。やはり、ヒット商品を出すというのは、そんな簡単なことではないのです。

「ミニッツメイド　フルーツマジック」

～撤退の判断を間違えたら、大変なことになっていた

ゴロゴロと果実が入った缶入りドリンクを開発

失敗の事例、3つ目は2015年に発売になった日本コカ・コーラの「ミニッツメイドフルーツマジック」です。これは実際に発売が告知され、キャンペーンも展開されていたので、もしかしたら覚えている人もおられるかもしれません。

当時、アメリカのコカ・コーラ本社が資本を入れていた「ラニ」という会社がありました。中東のアラブ首長国連邦のカタールを中心に、「ラニ」というブランドでジュースを販売、人気を博していました。

オレンジジュースで果肉が入っているものがありますが、日本で売られている「つぶつぶオレンジ」のような製品よりも、さらに大きな果肉が入っていたのです。つぶつぶというよりも、ゴロゴロという感じです。

これを日本で展開しようということになったのですが、「ラニ」ブランドではまったく知名度がありません。そこですでに日本で展開していた「ミニッツメイド」ブランドを使うことになったのでした。しかし、課題は山積していました。

一つ目は、輸送の問題。アラブ首長国連邦のドバイから輸入しなければならないのですが、船便で8週間かかりました。ところが、この間に缶にたくさんの傷が入ってしまう、売り物にならなくなってしまうのです。まず、これを防ぐ方法を見つけなければなりませんでした。

2つ目は、在庫のコントロールの問題。これはマテ茶のときもそうでしたが、販売予測が外れ、売れすぎて足りなくなったら品切れを起こしてしまうし、余ってしまったら破棄しなければならなくなる。海外製品は、簡単にコントロールできないのです。そこで、どうやって売りの予測の精度を高めていくか。ここでも、ディスカッションが繰り返されました。

3つ目は、特許権侵害の問題。「ラニ」と同じような製法を持っているメーカーが実は日本にもあったと後から伝えられたのでした。その会社の特許権を侵害しないか。日本のメーカーよりも先に製造していたことを証明する書類を出してもらうことになりました。これには当初、肝を冷やしました。

4つ目は、ショルダーフレーズの問題。当初、缶に「ゴロゴロ果実」というフレーズを入れようとしていたのですが、ここに会社の法務から指摘が入りました。「ゴロゴロ果実」は商標の問題で使えない、というのです。そこで「ごろごろの果実入り」という表記に変えました。

5つ目は、パッケージのグラフィック。中東の現地で缶のパッケージ印刷を行うと、どうにもあまりおいしそうにできないのです。そこで一度、白のコーティング塗装を缶に施した上で、カラーのパッケージを印刷することにしました。チームをヨーロッパにあるデザインエージェンシーや印刷所に派遣してクリアしました。

そしてようやく、マーケティング戦略に取り組みました。「フルーツごろごろ、新食感」というキャッチフレーズのポスター。「振る、飲む、食べる」と銘打ったPOP。「フルーツマジックショー」をテーマにした動画やテレビCM。

こうして「ミニッツメイド　フルーツマジック」は、パイナップル、ピーチの2つの商品で大々的に発売が始まることになったのです。

発売3日前に衝撃の事態が発覚

新製品は基本的に月曜日に展開が始まります。その前の週の金曜日くらいから、それぞれのお店の倉庫に入っていきます。その発売3日前の金曜日に私の携帯電話が鳴りました。

「ミニッツメイド　フルーツマジック」を展開する予定のお店で、従業員の人たちが「これは面白そうだ。ちょっと試飲してみよう」と飲もうとしたのだそうですが、なんと缶ぶたが開かなかった、というのです。

驚きました。この製品は、缶ぶたがキモなのです。プルタブと呼ばれる普通の缶ぶたでは、「ごろごろの果実」が出てこない。そこで、ドイツの製缶メーカーに依頼して「ごろごろの果実」のための大きなプルタブを採用していました。

ドイツ製ならさすがにトラブルはないだろうと思っていました。なのにプルタブが開かないというのは、ちょっとあり得ない。

電話ではらちがあかないので、チームを集め、製品をお店から持ってきて、調べてみました。また、在庫も倉庫にたくさんありましたので、「たまたま開かなかっただけではないか」と24時間態勢で調べてみることにしたのです。

結果は、残念ながらプルタブが開かない発生率はコカ・コーラの厳しい品質管理の基準に遠く及ばないものでした。

このとき、ちょうど日本コカ・コーラの社長がシンガポールに出張中で、土曜日の夜中に緊急のミーティングを電話会議ですることになりました。

発売は月曜からですが、日曜には店頭に並べてしまうお店もあるので、止めるなら土曜日中に決断するしかありません。しかし、出荷を止めたら当然、大きな損失が出ます。製品を回収し、処分するしかないのです。

ざっと計算しても、製品を回収し、倉庫にあるものもすべて処分すれば、億単位の損失が出てしまうこともわかりました。

「和佐さん、最終コール」

そう当時の社長は言いました。すべては、私の判断に委ねられたのです。私の最終コールは、「出荷停止」でした。

「こういう事情で、出荷停止をしたい。ＸＸ億円ほどの損金が出る」

社長は「損金をどうするのか」と聞いてきました。ドイツの製缶会社と交渉する、という話をしました。このときは、チームみんなでへこみました。さまざまなチャレンジを乗り越えて、ようやくいい製品ができたのに、どうしてこんなことになってしまったのか。

私はこの事件以来、神頼みをするようになりました。チームにも言いましたが、これは神様が助けてくれたのだ、と思ったからです。

もし出荷して製品のプルタブが開かないとなったら、コカ・コーラという会社自体の信用問題になっていたはずです。世界的な大事件にもなったかもしれない。誰がこの商品を出したのか、と当然、責任を問われたでしょう。

ところが、発売２日前に出荷を止めてもらえたのです。私は、神様を信じなければいけない、と思いました。以後、新年になると必ずチームと神社に行き、ビジネスの成長と今後事故のないことを祈り、常に神様に感謝を伝えるようになったのです。

テクノロジーの開発で、失敗をリベンジにつなげる

実は、このエピソード、後にリベンジをしています。プロジェクトはなくなってしまいましたが、缶の中に「ごろごろの果実」を入れることができるテクノロジーを、自社で開発したのです。

輸入をしなければならなかったのは、自分たちに「ごろごろの果実」を入れることができるテクノロジーがなかったからです。そこで、そのテクノロジーを開発したのでした。

これは一つのイノベーションだったと思うのですが、テクニカルのチームと徹底的に議論して、競合にはない新しい製造設備を作りました。もちろん、特許を取得しました。

簡単に言えば、製造ラインのパイプを2本にしたのです。通常、コーヒーでもジュースでも、製造は1本のラインで集約して行われています。これを2本のラインにしたのです。

1本のラインは、液体を通す配管の直径を太くしました。通常は2ミリほどのものを、1センチほどに広げたのです。そうすると、「ごろごろの果実」も配管に入れることができる。そして、もう1本のラインと最後にがっちゃんこして、最終的な製品へと仕上げていくのです。

このイノベーションは、「ごろごろの果実」以外でも生きることになったのでした。

コーヒーなどで使う乳製品を殺菌加熱する際、通常は牛乳と混ぜたものに対して熱をかけ

ます。牛乳の殺菌にはしっかりと熱と時間をかけなければなりません。そうすると、どうしてもコーヒーや紅茶のフレーバーに影響を与えてしまうのです。

しかし、2本のラインを使って製造するという発想によって、これがなくなりました。牛乳は牛乳に適した殺菌温度や時間をかけ、一方でコーヒーはコーヒーに適した殺菌温度、時間で対応ができるようになったのです。

こうすると、コーヒーや紅茶の風味をしっかりと残した状態にしておくことができます。そして、無菌室で牛乳と混ぜ、充填《じゅうてん》して出す。こうして、コーヒーや紅茶のフレーバーがしっかり残るテクノロジーにもすることができたのです。

このテクノロジーは、コーヒーや紅茶の製品の味を一気に高めることにつながりました。実際、日本コカ・コーラの製品は、味の調査をすれば高い評価を得ることが少なくありません。これは、このテクノロジーがあるからです。このテクノロジー誕生の背景には、「ミニッツメイド　フルーツマジック」の大失敗があったのです。

失敗する製品は、消費者に知られないままに消えていきます。もっと言えば、実はマーケティングのプロセスでは、最初の段階で100のアイデアがあっても、製品につながるのは、せいぜい3〜5つ。つまり、95から97は失敗なのです。

でも、そこでへこたれてはいけないのが、マーケターなのです。ほとんどが失敗なのです。だから、へこたれずに、そこから立ち上がらないといけない。

私が尊敬するカーレーサーの佐藤琢磨さんがコカ・コーラの営業大会に来てくれたことがありました。彼はこんな言葉を残しています。

「ノーアタック、ノーチャンス」

失敗を恐れずに、いかにチャレンジできるか。それがなければ、チャンスは手に入れられないのです。

第4章

日本コカ・コーラで実は苦戦していたコーヒーを再生する

忖度は悪である

「ジョージア」（コーヒーカテゴリー担当　マーケティング責任者　副社長）〜見たくない現実を、いかにシビアに見つめられるか

「ジョージア」は20年で15％もシェアを落としていた

２０１５年、お茶カテゴリーの再生を評価され、私は副社長のポジションを与えられました。そして、次のカテゴリーを担ってほしい、という依頼を受けました。それが、コーヒーでした。

日本コカ・コーラのコーヒーカテゴリーは、看板商品の「ジョージア」を筆頭に圧倒的な存在感を誇ってきました。ところが、かつては40％以上あったマーケットシェアを、20年で15％も落とすという事態になっていたのです。

背景には、コーヒー市場の大きな変化がありました。もっとも売れていた「ジョージアエメラルドマウンテン」は、フルシュガー、フルミルクという甘い仕立ての製品でした。もともと日本の缶コーヒー市場は、甘い製品からスタートしていたのですが、やがて微糖が登

場し、カフェオレが出て、さらにはブラック、ノンシュガーとトレンドが移り変わっていきました。

しかし、日本コカ・コーラの主力は甘い製品ですから、変化への対応に少し遅れてしまったのです。

また、パッケージのフォーマットもSOT（Stay On Tub）と呼ばれるプルタブで開ける小さな缶から、ボトル缶、さらには500ミリリットルのペットボトルへとシフトしていきました。今、もっとも人気が高いのは、ペットボトルの500〜600ミリリットルのブラック、ノンシュガーです。こんな製品は、かつてはありませんでした。

パッケージの生産コストでもっとも安いのは、SOTです。ボトル缶やペットボトルは、コストが高い。つまり、**トレンドのほうに向かえば向かうほど、利益率は落ちていくのです。**

こうなると、日本コカ・コーラとしては、その方向に行きたくない。しかし、トレンドはその方向ですから、シェアが奪われていく。そのゲームに飲み込まれたら、利益率が落ちる。

こんなふうに堂々巡りをしている間に、戦略は後手後手に回り、20年で15％もマーケットシェアを落としてしまったのです。**自分たちの事情を優先し、消費者のトレンドについていけていなかった。**私にはそう映りました。

コーヒーカテゴリーを担うことになってチームと話をしたとき、そのことに誰もが気づいていました。そして、トレンドの波に乗った競合に押されていたこともわかっていた。では、どうするか、に踏み切れていなかったのです。

私がまず伝えたのは、「綾鷹」のときと同じです。「３Ａアナリシス」を基本に徹してやりましょう、ということでした。「Acceptability（受容性／消費者からの受け入れやすさ）」「Availability（店頭にどのように置かれているかという配荷）」「Affordability（価格／買い物しやすさ）」という3点。これを競合と比べました。

「Acceptability（受容性／消費者からの受け入れやすさ）」は、ブランドとプロダクトとパッケージに分けて評価してみました。ブランドラブ、好きかどうか、買ってみたいかどうか、金額に対する価値。また、流している広告量。

競合とは、ほぼ拮抗していましたが、ブランドラブは若干ですが改善の余地がありました。プロダクトについては、好意的な結果が出ました。ブラインドテストし、パッケージが見えない状態で飲んでもらったら、ほとんどが日本コカ・コーラの製品のほうがおいしい、という評価でした。

ブラックのアルミボトル缶は改善の余地がありました。実は当時、もっとも市場が伸びていたのが、このボトルだったのです。

コンビニの棚を実際に作って400人規模のリサーチ

「Acceptability（受容性／消費者からの受け入れやすさ）」の調査で、ブランドイメージは改良が必要なことがわかりました。そして、もう一つがパッケージです。これについては、グラフィックを評価する大規模なテストを行いました。

コンビニの棚を再現したものを実際に作ります。私たちはストップウォッチを持ち、リサーチの対象者に指示を出します。

「ここにコーヒーの棚があるので、商品を見てください」

10秒経つと、声をかけます。

「はい、振り返ってこちらを見てください。目に入ったもの、気づいたものを挙げてください」

こうして、競合も含めて、具体的な製品をリストアップしてもらいました。

「では、もう一度、棚を見てください。気になったもの、買いたくなったものを最終的にカゴに入れてください」

その間、ずっとビデオを回しています。どの製品に手を伸ばし、迷い、最終的に何をカゴに入れたかを、録画しておきます。そして、どうしてその商品を選んだのか、理由を聞いていきます。

消費者の3アクション

Stopping　パッと見つける
↓
Holding　手を伸ばす
↓
Closing　購入する

このテストはきわめて精緻に行いました。当時、私たちのマーケットシェアは約25%ありましたから、コーヒーの棚のうち4分の1は私たち「ジョージア」の製品が置かれていることになります。

消費者のアクションは「Stopping」「Holding」「Closing」の3ステップで進みます。まずはパッと見つける。それから手を伸ばす。そして購入する。

このステップごとに、競合ブランドの6つの製品と比べて、どう反応があるか、調べていきました。25%の棚を「ジョージア」が持っていた場合には、「Stopping」でどの商品が強いのか？　同様に「Holding」では、「Closing」では、と調べていきます。

それぞれ商品ごとに出していきましたから、競合に優位な商品、まだまだ頑張らなければならない商品ははっきり見えました。中でも、市場が伸びていたブラックのボトル缶、そして微糖を変えなければいけないことは明白でした。

このリサーチは、とても手間がかかります。リサーチの費用も通常の何倍にもなってしま

いました。日本コカ・コーラでも初めての大掛かりな調査だったのです。しかし、これくらいのリサーチをしないと消費者の本当の姿は見えてこないと私は考えていたのです。

リサーチの対象者は400人規模。ストップウォッチで計って「Stopping」「Holding」「Closing」をチェックする。棚が理想の場合と、現実的な場合、両方やる。きっちりやる。カメラを置き、一人ひとりの分析をしっかりトラックしていく。

時間もかかります。しかし、マーケットシェアが落ちてきているブランドですから、徹底的に膿《うみ》を出さないといけない。これくらいのリサーチをやらないといけないと思ったのです。

自分たちの恥部を明らかにできるか

ブランドが弱っているときは、必ず理由があります。しかし、それをマーケティングだけでわかっていても意味がない。日本コカ・コーラの場合、販売を担うのは、全国に展開するボトラー社です。

ところが、マーケティングが担うブランドイメージの問題、味の問題、パッケージの問題など、自分たちにとって都合の悪い情報は、あまりボトラー社に開示していないと私には思えました。自分たちの恥部だからです。それよりも、いいことばかりを伝えていた。

私はそれは違うと思いました、もうそんなことを言っている状況ではない。販売も合わせたシステムとして、日本コカ・コーラのコーヒーのいいところ、悪いところをシステム同士で共有しなければいけない。これこそ、マーケティングの仕事です。

自分たちの恥部をさらけ出せば、自分たち以外の問題点も指摘できるようになります。ボトラー社が担っていた「Availability（店頭にどのように置かれているかという配荷）」「Affordability（価格／買い物しやすさ）」の部分です。

自動販売機、コンビニ、スーパー、それぞれのデータを見極めました。コカ・コーラの自動販売機は徐々にですが数が減少していました。逆に競合は、絶対数はコカ・コーラの自販機の半分ほどしかありませんが、着実に数を増やしてきていたのです。

しかも、自動販売機での価格は、１００円以下の出現率が、競合に対してコカ・コーラは圧倒的に少なかった。缶コーヒーをたくさん飲む人は1日に４本くらい飲みます。これが１本10円違うと、４本で40円、10日で４００円、１カ月で約１２００円の差になります。１カ月に１２００円の差は大きい。自動販売機の台数が減り、価格がこれだけ違っていたら、ヘビーユーザーは買わなくなる。台数を減らさない、かつ価格を競合に合わせる。それが必要でした。

自動販売機は約90万台。価格を下げたら、それだけで年間で億単位の利益が吹き飛んでしまいます。しかし、その覚悟をしなければ、競合にシェアを奪われることになります。どちらを選ぶのか、ということです。

もちろん、簡単に利益だけを失うわけにはいきません。そこで、鉄とアルミの両方で作っていた缶、SOT缶をすべて製造原価の安いアルミ缶に変えました。これによって、100円で売る利益の減少を最小限に抑えることができたのです。

私たちはマーケティングで、いい商品を作る。味も改善すべきは改善する。パッケージもよくする。ボトラー社は競合に負けない配荷と適切な価格調整を行う。そうしたら、シェアも必ず上がるはずだ、と私はチームに、そしてボトラー社に唱えていったのです。

デリケートな問題に真正面から向き合えるか

「3Aアナリシス」は、お茶カテゴリーのときもコーヒーカテゴリーに来てもやりました。極めて基本的な分析です。もっとも大事なことは、基本なのです。基本の凡事徹底なのです。ものすごく基本的なことを真っ向からガラス張りにしていく。それが大切なのです。**社内の政治的事情などは抜きにして、消費者中心にどうなっているのか、を徹底的に調べる。**

これは勇気が必要なことでもあります。それこそ「味に課題がある」などという消費者リサーチの結果が出れば、味を作っている研究開発チームは面白いはずがありません。

言ってみれば、「きちんと仕事をしてください」「しっかり仕事をしていないんじゃないですか」と私が突きつけているようなものです。

これがおかしな形で伝わると、「和佐は勝手なことをして、シェアが上がっていない理由を研究開発のせいにしている」などということになりかねません。

だから、データを社内で出すときにも、一緒に何かの資料を作るときにも、研究開発のトップに真正面から会いに行きました。そして、研究開発のトップからもチームに指摘内容を伝えてもらいました。忖度《そんたく》は悪であると言うのは簡単です。しかし、しがらみはある。だから、細かくケアもしないといけないのです。

リサーチで厳しい結果が出た他のチームに対しても、対応は気をつけました。彼らがダメだ、と言いに行くようなものだったからです。社内で発表するときには、事前に知らせました。どういう意味なのかを私から説明しました。ものすごくデリケートに対応しました。

長年ビジネスが停滞している。誰かが、シェアが落ちている理由をはっきりと示さなければなりませんでした。実は、何が原因かはおぼろげにわかっていたりするのです。しかし、「では、どうするのか」。それこそが問題だったのです。

現状維持は危ない。チームでシェアを上げたい。では、どうしたら、上げられるのか。まずは現状を知らないと何もできない。だから、「3Aアナリシス」を徹底してやる。

しかし、実際にはリアルな数字は何よりも大きな武器になります。ボトラー社にデータを見せたときには、こう言われました。

「本当のことを言ってくれてありがとう」

もちろん私も本当のことを言いました。マーケティングや商品の改善点があることを正直に話しました。そうやって正直に自分たちの非を認めると「値段がこれだと勝てないよね」「配荷をみんなで上げていこう」ということになるのです。

後に私は全社のマーケティング総責任者であるCMOに就任しますが、ブランドに何か問題があると、まず「3Aアナリシス」を見てくれ、と伝えていました。マーケティングのカテゴリートップ、リサーチのトップ、研究開発のトップ、そしてボトラー社の担当者が全員合意する「3Aアナリシス」をまず用意する。

実はそれがあれば、私が何かを言わなくても改善しなければいけないことは見えてくるのです。

見たくない現実を、いかにシビアに見つめられるか。ブランド再生は、ここから始まるのです。

ブランドキャンペーンにまったく一貫性がなかった

「3Aアナリシス」の一方で、取り組みを進めていたのが、広告キャンペーンを刷新することでした。ブランドラブに課題があるというリサーチ結果が出ていましたが、コーヒーカテゴリーの場合、ブランドイメージは広告キャンペーンによって構築されているところが大きかったからです。

まずは、5つの競合ブランドの、過去20年のキャンペーンの歴史を紐解いてみることにしました。わかったのは、大きく伸びている競合他社が、外国人の俳優を使った一貫したキャンペーンを展開していたことです。

一方で「ジョージア」は、「飯島直子さんのやすらぎ」「あしたがあるさ」「男ですいません」「エメマンバトル」「三浦知良選手のヨーロピアン」など、さまざまな話題にのぼるキャンペーンを展開していましたが、残念ながら一貫性がありませんでした。

そもそもキャンペーンというのは、統一感があるものを指します。「ジョージア」が過去20年やっていたのは、キャンペーンではなかった。さまざまなアイデアの羅列だったのです。

私がやりたかったのは、ブランドイメージを構築できる一貫性があるキャンペーンでした。

テレビCMのGRPの内訳も競合と比較しました。そうすると、キャンペーン以外のものに、たくさん予算が使われていることがわかりました。競合は定番商品にガンガンCMを打っていくのに対し、「ジョージア」は、定番商品以外のものに半分近く使っていた。

定番商品以外のものは時間がたつにつれどんどん印象から消えていきますから、これでは記憶に残らない。もっとシリーズ化をして、印象に残るキャンペーンを定番商品を中心に継続的にやっていかなければいけないことがわかりました。

ブランドを考えるとき「戦略ハウス」というものがあります。ブランドビジョンが屋根となり、土台はブランドアンビション。その中に、マーケット環境、ブランド情報、ピープル（消費者インサイト）などが並びます。

私はまず、この「戦略ハウス」の見直しから始めました。「ジョージア」とは、そもそも何のためにあるブランドなのか。

再定義したブランドのビジョンは**「すべての努力は報われるべきだ」**というものでした。会社員も、建設作業員も、運転手も、主婦も、みんな努力している。そんな努力の最中、ちょっと疲れたときにホッとするために「ジョージア」はある。

1本の缶コーヒーが、人々をホッとさせてくれたり、元気づけてくれたりする。それが「ジョージア」だということです。

では、これを消費者への言葉にいかに変えていくか。キャンペーンのアイデアを広告代理店にお願いしたところ、素晴らしいキャッチコピーが上がってきました。

「世界は誰かの仕事でできている」

後に広告賞を総ナメにし、このコピーを書いた方は書籍も出されています。私たちのブリーフィングに対し、素晴らしいコピーを出してもらえたのでした。

このキャッチフレーズを使い、2013年からテレビキャンペーンを始めました。もちろんキャンペーンの結果もシビアに見ました。「ワンナンバースコア」という指標です。

流れている広告を100とすると、その中でトップ15%以上の購入意向や記憶に残るものがあります。このトップ15%入りを達成するには、ワンナンバースコアは105以上を取ることです。

過去のキャンペーンは105以下が多かったのですが、「世界は誰かの仕事でできている。」キャンペーンは1年目こそ立ち上げで苦労したものの、2年目以降は常に105以上のスコアをたたき出せるようになりました。

私がガイドラインとして宣言したのは、100以下のテレビCMは基本流さない、100以下になったCMはお蔵入りにする、でした。

これは広告代理店には、大きなプレッシャーだったようです。「世界は誰かの仕事でできている。」キャンペーンを立ち上げた年の年末、「ジョージア」チームと代理店が100人ほど集まって忘年会をしたのですが、そのとき強烈なインパクトのオープニングビデオを作ってもらったのを覚えています。

105以上の数字を出すために、いかに広告代理店のチームがプレッシャーと戦ったか、苦しんだか、を面白おかしくまとめたビデオでした。たしかに厳しいオーダーでした。しかし、それだけに作り手側には緊張感もひとしおのキャンペーンになったのでした。

エメラルドマウンテンという山はない？

緊張感と言えば、社内の「ジョージア」チームの意識も変えていきました。コーヒーを担当しているのに、中にはあまりにコーヒーのことを知らないメンバーがいると思えたからです。事実いろんなブランドやカテゴリーを2、3年で巡っていて、コーヒーに関してはまったくの素人もいたのです。研究開発チームはもちろんコーヒーに関しては詳しかったですが、マーケティングチームのコーヒー知識は怪しいものでした。

私はもともとコーヒーが大好きで、日本コカ・コーラに入る前、コーヒーのいれ方などを学ぶバリスタコースで学んでいたりもしました。初級編だけでなく、中級編まで受けました。もともと、コーヒー豆のことはかなり詳しかったのです。だから、**コーヒーチームには、全員コーヒー検定を受けてもらうことにしました。**

私が大学の卒業旅行で南米に行った話はすでに書いていますが、このときジャマイカにも行っています。そして、あの有名なブルーマウンテンに登ったのです。そこでブルーマウンテンの豆の知識を勉強しながら、思わずつぶやいたことを覚えていたのでした。

「エメラルドマウンテンはどこにあるんだろう」

私も当然「ジョージア　エメラルドマウンテン」を飲んだことがありました。そこにはエメラルドマウンテンのイラストが描かれていたのも覚えていました。ところが後になって、私は「エメラルドマウンテンという山はない」という事実を知ることになります。

驚きましたが、これは事実です。そしてそのとき、エメラルドマウンテンの本当の意味を知ったのでした。

コロンビアのコーヒー業界が、コロンビアで作っているコーヒー豆で中のアラビカの最高品種のものだけにエメラルドマウンテンという名前をつけたのです。そして、「ジョージア　エメラルドマウンテン」は、その豆を輸入して作っていたのです。それは、おいしいはずです。

ところが、**「ジョージア　エメラルドマウンテン」の豆の良さを本当に理解している人は少なかった。**コーヒー豆の最高級品種として知られるブルーマウンテンと値段を比べると、同じかそれ以上に高い。それが、コロンビアのエメラルドマウンテンなのに、です。

なぜ、最高品種なのか。世界的なコーヒー産地、コロンビアの標高1800m以上の高さの場所でしか収穫できない、とても貴重なコーヒー豆です。コロンビアで収穫されるコーヒー豆全体のわずか0・2%しか取れない豆を、私たちは缶コーヒーに使っていたのです。この事実をどうやって消費者にとってわかりやすいストーリーにするか、そのためにはエメラルドマウンテンがどんなふうに作られているか、現地で見てくるべきだと考え、実際コロンビアに行きました。コロンビアでは、斜度が30度、40度もの急斜面にコーヒーの木が植えられていました。

エメラルドマウンテンが作られている場所はこのように急斜面ですから、機械は入れない。すべて手摘みなのです。大変な手間暇をかけて、エメラルドマウンテンを作っていたのです。実はこのエピソードを、後に広告にしました。そうしたら、当時の日本コカ・コーラ史上、最高となる、テレビCMのワンナンバースコアを達成することができたのです。

日本人は絶対にこういう話が好きだと思いました。P&G時代の「SK－Ⅱ」もそうでしたが、製品に本物のストーリーがあってこそのブランドなのです。消費者に共感してもらえる本物のストーリーを作るには、まず担当者がその道のエキスパートにならなければいけないということです。

「3Aアナリシス」で見えてきた課題をクリアしていく

新しいキャンペーンを展開する一方、「3Aアナリシス」で見えてきた製品の課題に向き合いました。まずは、マーケットでよく売れていた「ペットボトル」と「ボトル缶」。もともとあった「ジョージア ヨーロピアン」が味にもパッケージにも課題を抱えていた中で、リブランディングとして選択したのは新進気鋭のコーヒー店の監修でした。

「綾鷹」が上林春松の監修を受けていたように、恵比寿のスペシャリティコーヒー専門店

「猿田彦珈琲」の監修を受けることにしたのです。当時はまだ1店舗しかない、新進気鋭のコーヒー店でした。新しいウェーブを意識して送り出したのが、新しい「ジョージア ヨーロピアン」だったのです。

もちろん味もさらにおいしく改善し、パッケージも一新しました。「綾鷹」がパッケージに急須のイラストを入れたように、「ジョージア ヨーロピアン」ではコーヒーのドリッパーを入れました。いかに丁寧に作っているか、をイメージしたかったからです。

パッケージがおいしそうになり、中身もおいしくなった。そうすることによって、もう一度、多くの消費者に振り向いてもらえるブランドに変えていくことを考えました。これが大成功するのです。

さらに、マーケットが拡大していた「微糖」もリニューアルします。「3Aアナリシス」でパッケージに厳しい評価が出ており、これを刷新。味も向上させました。それが「至福の微糖」シリーズ。パッケージのこだわりもあって、また「至福の微糖」キャンペーンが支持され、大きく伸ばしていくことができました。

「世界は誰かの仕事でできている。」キャンペーンに加え、「ジョージア ヨーロピアン」、さらには「至福の微糖」でいよいよシェアの落ちが止まりました。こうして「ジョージア」に勢いが出てくるのです。

950ミリリットルのペットボトル「ジョージア　カフェ　ボトルコーヒー」「贅沢　生

クリームのカフェオレ」、さらには自動販売機のカップベンディングマシンのブランディングにも取り組みました。

2015年、2016年と、2年連続で前年の売り上げ記録を更新し、ずっと下がっていた数字が上向きになりました。長年の下降傾向を食い止めることに成功したのです。「世界は誰かの仕事でできている。」キャンペーンはその後、8年間続きました。「ジョージア」といえば、「あの山田孝之さんがやっているキャンペーンだよね」という印象が浸透し、イメージもとてもよくなりました。

やはり大事なことは「3Aアナリシス」。問題点をきっちりガラス張りにし、繊細にアクションに落とし込んでいくことなのです。誰かの責任を問おうとか、どこの部署の問題か追及しようという目的でやったわけではありません。誰が悪い、と指さしてもしょうがないのです。現実をきっちり客観的に見て、システム一丸となって、一つひとつ詰め将棋のように直すべきところを直していく。あきらめずに取り組んでいく。

外部の代理店に協力を仰いだキャンペーンも、ダメなものはダメと指標化して、なぜ悪いのか、改善に取り組み、キャンペーンの精度を上げていく。

味がよくなり、パッケージがよくなり、広告がよくなり、イメージ戦略がよくなり、価格、配荷がしっかり揃えば、絶対に数字は上がっていくのです。それを徹頭徹尾、追いかけて、あきらめずにみんなを説得してやっていくことが問われたのです。だから結果が出たのです。

やっぱり最終的には「味」が決め手になる

コーヒーカテゴリーでは、もう一つ、印象的な製品があります。「ジョージア　ジャパンクラフトマン」です。500ミリリットルのクラフト領域はペットボトルで競合に先行されていましたが後追いし、今はナンバーワンブランドになっています。

クラフト領域のペットボトルのコーヒーは、競合がずっと準備を推し進めていたのだと思います。しかし、あんなに売れるとは思っていなかったのかもしれません。ペットボトルで作ることは難しいことではない。ポイントはポジショニングでした。新しい飲み方の提案に成功したのです。

背景にあったのは、ながら飲み。もっといえば、「ちびだら飲み」です。たとえばオフィスでは、多くの人がミネラルウォーターやお茶のペットボトルを飲んでいました。ぬるくなってもかまわないからです。

一方、缶コーヒーはグッと飲みます。冷たいものもそうですし、温かいものも温かいうちに飲み切る。休憩で飲む、というイメージでした。ところが、今の若者たちは、コーヒーを常温でちびちびだらだら飲むようになっていたのです。

そういう飲み方に適しているのは、比較的薄い味のものです。濃くしてしまうと、ちびだら飲みでは飲めない。500ミリリットルもある量です。

そこで味を薄くして、そういう飲み方を提案してみたら、ウケた。これは、競合の目の付けどころが良かったのだと思います。

私たちもペットボトルのコーヒーは何度もトライしましたが、うまくいきませんでした。しかし、500ミリリットルで出したことはありませんでした。

その大きさに加えて、ガラスルック。クラフトマンっぽい雰囲気が出ていて。新しさがあった。ちょうどアメリカのコーヒーチェーンがコンビニで製品を売り出すようになってきたりして、ガラスの容器に入ったクラフトコーヒーが支持されていたのです。そこをガラスではなく、ペットボトルにした。見た目もエンボス加工で、フィルムを透明にして、きれいなガラスに入っているように見せた。

そこに「クラフト」と書いてあるわけですから、「クラフトコーヒーって、なんかおいしそう」ということになったのだと思います。それで売れた。

後追いだった私たちは、どこが勝ち目なのかを見極めました。いくら、ちびだら飲みの薄いものでも、もっとおいしい味のものが求められるだろうと考えたのです。そうすると、『ジャパンクラフトマン』、おいしいよね」ということになった。

クラフトはカテゴリーになっていましたが、味で勝負した、ということです。しかも、「クラフトジョージア」ではなく、「ジャパンクラフトマン」と日本のクラフトマンのイメージをネーミングに込めました。

新しいカテゴリーを作ったのは競合で、私たちは後追いでしたが、やはり**ポイントは味にあった**のだと思っています。一つ失敗があったとすれば、「ジャパンクラフトマン」を出すタイミングを見誤ったということです。もっと早くチャレンジするべきでした。

自販機を温めよ！「いつもの冬より、あたたかく。」キャンペーン

最後にコーヒーカテゴリーで、とても面白いイノベーションを起こした話を書いておきたいと思います。「いつもの冬より、あたたかく。」キャンペーンです。

実はお茶カテゴリーにいたときから、隣のコーヒーが苦戦しているのを見て、一つのアイデアを伝えていたのでした。**自動販売機の温度を上げること**です。

冬場、自動販売機は温かいコーヒーを売っていますが、私には温度がぬるかった。コンビニで買う温かいコーヒーもぬるかった。聞けば、やけどをしないように規約で55度と決まっていたのだそうです。

しかし、私にはぬるかった。そして私の「ぬるい」は、みんなの「ぬるい」だと思っていました。たとえば、カップベンディングマシンなら、湯温が70度にならなかったら、出てきません。ぬるすぎてクレームになるからです。もし、カップベンディングマシンから55度の温度のコーヒーが出てきたら、吐き出すと思います。ぬるいからです。

コーヒーは、65度から70度くらいがおいしい適温だと言われています。これが、普通のコーヒーの常識なのです。

なのに、缶コーヒーになったら「持てないから」「熱いから」と、誰かが55度に決めてしまった。誰かが昔、決めたのです。しかし、おいしいのは55度ではないはず。何度まで上げられるのか、が私の素朴な疑問だったのです。

大事なことは、科学的な考察です。そこでコーヒーカテゴリーに移ったとき、研究開発部門とリサーチ部門のトップに、自動販売機やコンビニに置かれる温かい缶コーヒーのメインの商品は何度が適温なのか、調べてほしいと言いました。

手に持つこと、口につけることも含めて、何度が適温なのか教えてほしかったのです。そうしたら、57度という答えが上がってきました。

実は57度、けっこう熱いです。55度とたった2度の違いですが、お風呂の2度の違いだって熱いでしょう。2度上がると、半端なく熱いのです。思わず「熱い！」と思うのですが、冬ですと、手でさわっている間に冷めていきます。

実際に冬場は、手を温めるのに缶コーヒーを使う人もいる。「熱い〜」はやがて「温かい〜」となっていくのです。

そこで、自動販売機の缶コーヒーの温度を2度上げることを考えたのです。コンビニは、私たちにはどうにもできませんから、本当は上げたかったのですが、あきらめるしかありませんでした。

自動販売機にも実は2つの問題がありました。一つは、自動販売機で57度の設定はできるけれど、設定するのは横並び一列になる、ということです。1本1本の温度が設定できるわけではないのです。

そして、製品の温度を2度上げると、モノの保存期間が変わります。消費期限が設定されていますが、2度変わると、これも変わってくるのです。とりわけミルクが入っているものに、問題が出やすい。また、お茶も同様。というのは、ミルクやお茶は、褐変《かっぺん》といって茶色く濁ってしまうのです。そうなると、すべて試験をやり直して、対応をしなければならなくなるというのです。そんなことは、とてもできそうにありませんでした。

そしてもう一つ、大きな問題がありました。電気代です。

消費者と同じ目線に立つから見えてくることがある

11月から2月まで、自動販売機の温度を2度上げると、全国で数億円の電気代アップになることがわかりました。これは、売り上げが約5％以上上がらないと元が取れません。「和佐さん、元は取れますか」と問われました。

それでも、おいしいのが57度なのはわかった、では、テストをしましょう、ということになりました。5%以上の売り上げアップがあるか、褐変があるかどうか、北海道でテストしてみましょう、と。

まず、北海道のボトラー社に行き、55度と57度を実際に用意して飲んでもらいました。55度のものは、「ああ、いつものやつだな」。そして、57度を飲んでもらうと、「熱い」となりました。ところが、57度のほうがおいしい、と言われたのです。やはりそうだったのです。そして、「これ、ボトラー社で広告を打ちます」と言われました。そして「今年の冬、ジョージア、2度上げました。熱っ！」という広告を打ちました。そうしたら、売り上げが7%近くまで上がったのです。

おそらく多くの人が、温度が上がったと聞いて、体験してみたくなったのだと思います。売り上げ増は、「ジョージア」だけではなく、ホット製品群全体が7%上がったのでした。いずれにしても、目標の5%をクリアしたわけです。褐変の問題も、3カ月のテストでクレームが出るようなことはありませんでした。

そこで、翌年の秋冬から、全国展開をしたのです。3年間、続けましたが、だんだんと5%の純増は難しくなっていきました。それが当たり前になるからです。私も後にコーヒーカテゴリーを離れてしまい、費用面の負担も大きいため、温度は元に戻ったと聞きました。

ただ、私は今でも、57度にできるならまた戻すべきだと思っています。たとえ電気代が少しアップしたとしても、です。やっぱり消費者の皆さまは熱いほうがいいと感じてくれているからです。

製品を変えることなく、提供する温度を最適化するというシンプルかつ重要なイノベーション。私は自分が消費者の目線になり、このことに気づいたのですが、マーケターのみならず、その製品に携わる人は、もっと消費者の目線で自分の扱う製品を買って飲んでみるべきだと思います。いろいろな場で、いろいろなシチュエーションで買ってみる。

それが案外、大きなイノベーションにつながるのでは、と思っているのです。**ヒントは、意外に身近なところに落ちている**のです。

缶コーヒーは、レッドオーシャンの象徴のようなマーケットです。しかし、しっかり基本に立ち帰れば、見えてくることがある。消費者の目線に立ち帰れば、あらためて見えてくることはたくさんあるのです。

コーヒーカテゴリーの再生の第一段階を終えた私に、新しいテーマが与えられることになります。日本コカ・コーラ、いや世界のコカ・コーラ初の、アルコール飲料の開発でした。

第5章

日本コカ・コーラで初めてのアルコール飲料を開発する

殻を破る勇気

「檸檬堂」
（新規事業開発担当 マーケティング責任者 副社長）
～競合を見るな。世の中と消費者をしっかり見よ

スーパーやコンビニで大きな存在感を誇る酎ハイ飲料棚

２０１７年2月、アトランタのグローバル本社から、社長（ＣＥＯ）が来日しました。２カ月後に新しい社長が就任するにあたり、世界を自分の目で見ておきたいと「最後のワールドツアー」に出ていたのです。

日本にやってきて、日本法人の社長と何人かで出かけたのが、日本のコンビニでした。もちろんコカ・コーラの競合の飲料水がずらりと並んでいる棚を見ていたのですが、ふと隣にある、似たような棚に気がついたのです。

「この棚は何？」

それは缶酎ハイの棚でした。日本法人のスタッフがすぐに説明しました。

「これは缶酎ハイと呼ばれている製品の棚で、アルコールが１％から９％くらいまでの低ア

ルコール飲料です。アルコールにフレーバーを加え、炭酸を入れたものです」

海外にも似たようなアルコール飲料、リキュールドリンクと呼ばれているものはあります。しかし、コンビニでこれほどまでに存在感を誇っていることに驚いたのでしょう。

「これはどのくらいの市場規模がある？」

「約3000億円ほどです」

グローバル本社の社長の頭の中では、瞬時に計算が働いたのだと思います。たとえば、「コカ・コーラ」にウォッカを加えたり、ラムを加えたりしたら、あっという間にここに置かれる製品ができるのではないか。そして、こう言いました。

「日本でテストマーケットをしてみては？」

世界のコカ・コーラは、「コカ・コーラ」や「ミニッツメイド」などの炭酸飲料やジュースが大半でした。ところが日本コカ・コーラはお茶やコーヒー、スポーツドリンクなど、まさにフルポートフォリオとも言うべき状況にありました。

日本が次に向かうマーケットとして、アルコールカテゴリーがあるのではないか。そんなふうに気づいたのではないかと思います。

実のところ、私たちにも思うところはありました。コカ・コーラはアルコール飲料を出していなかったわけですが、サントリーのようなアルコール飲料を主軸にしたメーカーが次々に私たちの清涼飲料水のマーケットに競合として入ってきていたわけです。

アルコール飲料に出ていくというのは、そのリベンジを私たちがするということになります。たしかに大いにポテンシャルはあると思いました。

当時、私は停滞していたシェアが少しずつ上向き始めたコーヒーカテゴリーを見ていましたが、同時に新規事業部も委ねられていました。日本コカ・コーラとしてアルコール飲料にチャレンジするとなれば、誰が担当するのか。

「新規事業ならば、和佐さんでしょう」

ということで日本コカ・コーラの社長から、極秘プロジェクトを直々に命じられたのです。

「グローバルの社長が来て、アルコール飲料をやってみてはどうか、という話をもらった。大事なポイントは、このプロジェクトは極秘に進めなければならないということだ。どのような商品を出すかは基本、和佐さんに一任する。頑張ってほしい」

日本コカ・コーラのアルコール飲料開発への挑戦が始まっていったのです。

P&G時代、新卒採用向けのインタビューで、私はこんなことを語っていました。

「マーケターとしての夢は、自分が作った新しいブランドが世の中の定番商品になることです」

先にも少し触れていますが、これが私の夢だったのです。だから、新ブランドへの挑戦には格別な思いがありました。お茶カテゴリーで「太陽のマテ茶」を世に送り出しましたが、残念ながら定番商品にすることができなかった。

新しいブランドが作れる、しかも未知のアルコール飲料に挑める。これは、またとないチャンスだと思ったのです。

新ブランドを立ち上げることになったとき、私は新しくアルコール担当のブランドマネジャーを採用しました。ただ、マーケティングの人材ではなく、新しいカテゴリー参入の障壁を理解しながらチームを引っ張れるテクニカル部門からの人材の採用でした。

その後、マーケティング部門の担当者も社内から採用させてもらい、私と3人でプロジェクトを進めていくことになります。

後に、私が「檸檬堂」をすべて一人で作ったかのようにメディアでは報じられたりもしたのですが、そうではありません。実際、当初あちこち走り回って頑張ってくれたのは、この2人のメンバーです。

事実、多くは彼らの仕事です。彼らとアルコール担当R&D、テクニカル、デザインチームのメンバーが作った。もっと言うと、彼らが「檸檬堂」のゴッドファーザーといっても過言ではありません。ただ、さまざまに方向づけをしたり、環境を整えたり、「これはいい」「これはダメ」と判断をするのは、私の役割でした。

簡単にOK出ししないこともありました。私も粘りましたが、2人もチームも粘りに粘ってくれた。そんな新ブランド開発のプロジェクトだったのです。

アルコール度数縛りでブランドが展開されていた

新ブランドの開発プロジェクト。まず始めたのは、マーケットの分析でした。アルコール市場の、どこで戦うか。お茶カテゴリーでもマップを作りましたが、アルコール飲料のビジネスが全体でどうなっているのか、見たいと思いました。

ビール、焼酎、ウイスキー、日本酒、ワインなどが、どんなシェアをお酒のマーケットの中で持っているのか。また、どのカテゴリーが伸び、マイナスになっているのか。さらに、製造するためのハードルにはどんなものがあるか。

ビールやウイスキーを作るには、施設が必要になります。ワインにはノウハウも必要になる。ゼロから新ブランドを作るとなっては、そんなに時間をかけるわけにはいきません。

となると、やはり残ったのは、業界では「アルコポップ」と呼ばれる酎ハイのような炭酸フレーバーの製品でした。一連の炭酸フレーバーの製品は、アルコールを取り除くと、私たちがずっと取り組んできた飲料です。

フレーバー、砂糖、炭酸など、さまざまにノウハウを持っている。どこにも負けないフレーバーを作り、そこにお酒を数％入れるというのは、決してハードルは高くないと思いました。

もちろん製造販売にあたっては、免許が必要になります。その点は後にクリアするとして、日本コカ・コーラ発の「アルコポップ」は作れると思いました。

続いて分析を進めたのは、どんなプレーヤーがいて、どんな「アルコポップ」が市場で受け入れられているか、でした。サントリー、アサヒ、キリン、宝酒造などのプレーヤーがいて、どんなブランドが展開され、どんな売り上げ規模を持っているか。

さらに実際にスーパーやコンビニに行くと、棚がどんな分類になっているのかも調べました。

わかったのは、もっとも棚割が大きいのは7%から9%のアルコール度数高めでジュース感薄めのカテゴリー。それから、アルコール度数は4%から6%でジュース感濃いめのカテゴリー。さらに3番目が3%ほどのアルコール、4番目がプレミアムのカテゴリーでした。

続いて、売り上げの大きい一つひとつのブランドを見ていきました。「ほろよい」「氷結」「本搾り」「ストロングゼロ」。気づいたのは、人気の4商品はアルコール度数縛りだったということです。それぞれ、**アルコール度数3%のブランド、5%のブランド、6%のブランド、9%のブランドという展開が行われていた**のです。

グレープフルーツなどはフレーバー感のあるジュースが10%、20%などたっぷりなのですが、レモンは当時、ジュースがほとんど入っていませんでした。もっとも売れているブランドでさえ、2%程度でした。

基本的にどのブランドも、レモン、グレープフルーツ、マスカットなど、さまざまなフレーバーをラインナップしていました。レモンは、その豊富なラインナップの一つに過ぎない、という印象を持ちました。

レモンをとにかくおいしくしよう、レモン果汁をたっぷり入れて本格的なものにしよう、というブランドは当時はなかったのです。こうして、新ブランドはレモンサワーで、という方向が形作られていきます。

原点に立ち戻り、本物のレモンサワーを探る

なぜ、レモンサワーだったのか。レモンサワーが王道で、もっともおいしいものだと私たちには思えたからです。酎ハイの原点であり、居酒屋のサワーとして昔からあるし、もとよりキリッとおいしい。アルコールとの相性もいい。

ところが、いろいろなフレーバーがあるのに、レモンに特化したブランドがなかった。つまり、レモンに特化すると何ができるのかというと、**レモンに特化しているという「エッジ」が立てられる**のです。

緑茶の「綾鷹」も、コーヒーの「ジョージア」も、ブランドを再生していくにあたっては、エッジが大きな意味を持ちました。

やはり飲み物ですから、おいしいというのは絶対に譲れない。そこでいかにエッジを立て

られるか、なのです。いかに本物のお茶に近いか、いかに本物のコーヒーに近いか。レモンサワーに絞り込めば、そんな本物ぶりを示すエッジを立てられると思いました。

まず、私たちはレモンサワーの原点に立ち戻りました。お茶でもコーヒーでもそうでしたが、やはり歴史をしっかり理解することは大切です。

レモンサワーは1960年代に生まれていました。焼酎を炭酸で割り、レモンで風味付けする。そう言えば私が子どもの頃、「キリンレモン」がよく飲まれていました。大人にも子どもにも、レモンは好印象だったのだと思います。

そして2010年代に入ると、レモンサワーは進化していきます。単にカットレモンを少し入れたり、フレーバーを入れたりするのではなく、半分に切った生レモンを絞って入れる贅沢生レモンサワーなどが生まれます。

さらに、プロジェクトが始まった当時、すでにレモンサワーの専門店というものが存在していました。東京はもちろん、京都、博多などにもあって、私自身すべてには行けませんでしたが、2人のマーケティングプロジェクトメンバーはすべてのお店に行ってくれました。

どこも大人気で、ものすごくおいしいレモンサワーを出してくれる。しかも、レモンサワーにも、いろいろなものがある。皮のすり下ろしがあったり、あらかじめレモンと焼酎と水を混ぜておく前割り手法があったり。

居酒屋で200円台、300円台の安いレモンサワーを飲むという選択肢もあります。一方で、居酒屋よりも高い500円、600円という値段でプレミアムなレモンサワーを飲みたい人たちもいた。レモンががっつり入っていたり、塩を入れてくれたり、前割りをやってくれていたり、はちみつを入れてくれたり。

こうして、**「専門店で出している味をそのまま缶に詰めたレモンサワー」というコンセプト**が生まれていきます。「檸檬堂」は、酎ハイマーケットや競合を見るのではなく、世の中や消費者をきちんと見つめることで、生まれていったのです。

レモンに特化したブランド。他にないレモンサワーが飲めるブランド。おいしいレモンサワーが飲めるブランド。

あえて他のフレーバーは出さない。「こだわりのレモンサワー」だけのブランドだからです。どうせレモンサワーを飲むなら、レモンサワーに徹底的にこだわった「檸檬堂」を飲むほうがおいしそうだ。だって、専門店だから。

こうしてレモンサワーに特化した、「こだわりレモンサワー」のプロジェクトが進んでいくのです。

専門店に共通しているものを、キーワードとして掲げた

私たちが注目したのは、本格的なレモンサワーやプレミアムなレモンサワーを出している

専門店です。彼らに共通していることは何か。それが、次の5つの言葉でした。これもまた後に解説する、「コネクティングドット」に関わっています。

クラフトマンシップ、レトロ&クール、さまざまなレモン製法、まるごとレモン、前割り。

この5つをヒントに、さまざまな情報収集をさらに推し進めていきました。人気のお店にも行きました。

実際、「檸檬堂」は、専門店のレモンサワーにヒントを得て、前割りレモン製法という作り方をしています。レモンを丸ごとすりおろす。それをお酒に漬け込む。その「前割りレモン」を炭酸で割る。「前割りレモン」がたくさん入っていますから、徹底的においしい。そして濁りがあります。

ただ、こんな手の込んだ作り方をしますから、原価が高くなります。となれば、値段も上げざるを得ない。競合が売っている約108円の価格では売ることはできないのです。結果的に、これがレモンサワーのプレミアム市場を作っていくことにつながります。

そもそも私の中にあったのは、すでにマーケットにあるものと同じようなものを作ってもしょうがない、ということでした。端的に考えれば、**酎ハイ市場は大手メーカー4社がしのぎを削って戦っている完全なレッドオーシャン**でした。そんなところに、同じような製品を送り込んでも意味がない。

象徴的なのが、シルバー、メタリック、フルーツ写真のパッケージでした。どの競合もほとんどが、シルバー、メタリック、フルーツ写真のパッケージを採用していました。だから、こういうパッケージだけは絶対にやめよう、というのは最初にメンバーに伝えたことでした。ネーミングも同様です。先の5つの「コネクティングドット」に合致したネーミングにする。クラフトマンシップ、レトロ&クール、さまざまなレモン製法、まるごとレモン、前割り、です。たくさんのネーミングを出し、検討しては作り替え、最終的なものに落とし込んでいきました。

当初は「手搾り屋」というネーミングでした。パッケージも作り始めていました。しかし、これが「初代　手搾り屋」に変わり、最終的に「檸檬堂」になってパッケージも完成されていきます。

パッケージのパターンも、40ほどのデザインを作りました。いや、これはイメージが違う。色が違う。雰囲気が違う。そんなふうに検討を重ねました。

同時にレモンサワーのラインナップも整えていきました。まずは3種類で行く。アルコール度数5%、レモン果汁10%の定番。アルコール度数3%、レモン果汁7%ではちみつを加えるハニーレモン。そしてアルコール度数7%、レモン果汁7%のソルティレモン。パッケージ制作も、この3つのラインナップに合わせて発想していくようにしました。

ネーミングもパッケージも、時間とともにだんだん良くなってきたな、と感じていました。しかし、私はNGを出し続けていました。なぜなら、何よりエッジの立ったコンセプトからブレてほしくなかったから。

そしてあらためて、原点に戻ることを伝えました。レモンサワーの原点であり、専門店の原点。クラフトマンシップであり、レトロ＆クールです。

そうすると、デザインハウスからナイスなモチーフが出てきました。それが、「酒屋さんのエプロン」でした。これはイメージにぴったりだと思いました。「檸檬堂」というネーミングに合う。このモチーフからデザインが生まれ、こうしてネーミング、パッケージが決まりました。

「檸檬堂」なんて、コカ・コーラらしくない、と言われることがあります。しかし、そこがいいのです。まったくの新ブランドなのですから。お、何か新しいものが出たぞ、これまでにないものがあるぞ、と思ってもらえることこそ、大切なのです。なぜなら、レッドオーシャンだったのですから。

社内事情は、消費者には関係がない

日本はもちろん、世界のコカ・コーラでも初めてのアルコール飲料のプロジェクト。メンバー3人の極秘プロジェクトで始まりましたが、研究開発やリサーチのメンバーが加わってからも、社内には内緒にしなければなりませんでした。

今も覚えていますが、私の上司も合わせた8人が、社員なのに秘密保持契約（ＮＤＡ）を書かされたのです。加えて、会議も鍵を閉めて行いました。パッケージデザインを討議するときにも、絶対に表に見えないようにして持っていく。私にも、経験のないことでした。

パッケージやネーミングを推し進める一方で、研究開発チームと製造についても取り組みを進めていく必要がありました。前割りレモン製法には、これまでにない難しさがあったからです。前割りで漬け込んだレモン入りのお酒に、最後は炭酸ガスを入れることになるわけですが、上がってきた試作品の製品のクオリティについてＮＧを出したことがありました。それは炭酸のガス圧が弱すぎたからです。

初めて出てきたプロトタイプの味はとてもよかった。そこでゴーサインを出したのですが、工場のラインで実際に作ったものを試飲すると、ガス圧が低く感じたのでした。

「これ、ガス圧、低くなってない？」

そう問うと、こう返ってきました。

「和佐さん、製造工程で熱をかけて滅菌をしますが、レモンを10％、７％と入れているところで１２０度の熱を長くかけると、中のレモンが発酵して爆発しかねないのです。レモンの量を変えたくないのであれば、ガス圧を低くする必要があります」

滅菌工程で爆発の危険があるので、企画していたガス圧から若干下げた、というのです。私は言いました。

「それはわかります。でも、**最終的にレモンサワーを飲む消費者には、まったく関係のないことです。**しかも、炭酸のガス圧が消費者の許容範囲内ならいいけれど、これはまったくそうなっていないと思う。こんな緩い炭酸の製品を、これだけ頑張ってきて、出すわけにはいきません」

これは研究開発のトップと、ガス圧を上げるまで延期しよう、という交渉をしなければならないと思いました。そもそも、これで行こうと合意していた味があったのです。ところが、急にガス圧を下げるという。これは受け入れられませんでした。

研究開発チームでは、私からNGが出たと大騒ぎだったようです。しかし、彼らはもう一度、挑戦してくれたのでした。そして、レモン果汁の量を変えることなく、ガス圧を守ったのです。

檸檬堂

「檸檬堂」は、後に女性から大きな支持を得ますが、とても飲みやすいのです。それは、レモン果汁がしっかり入っているから。ガス圧もそのまま、そしてこのレモン果汁をそのままにする製法を、研究開発チームが見つけてくれたのです。

九州限定だったために、出張のビジネスパーソンがお土産に

そしてもう一つ、大きな難関は、アトランタのグローバル本社の最終許可を得ることでした。幸いにも日本コカ・コーラで、このシークレットプロジェクトを応援してくれていた戦略チームのヴァイスプレジデントがいました。

私の上司と同格の人物でしたから、私より少し上の立場になります。戦略チームで事業ポートフォリオ戦略を担っていた彼が「私がアトランタの承認を取る役割をするから、和佐さんたちは製品開発に全力を尽くして欲しい」と言ってくれました。なんとも心強いパートナーです。最終的にそのヴァイスプレジデントや日本コカ・コーラの社長が、アトランタ本社の承認を取ってくれたのです。

そこで我々が強調したのは、九州でテストマーケットをする、ということでした。コカ・コーラがアルコールを出して、どんなリスクが出てくるか。日本で何か起こらないか。それが海外に飛び火したりしないか。

本社が何より懸念していたのは、アルコールを出すことのリスクがどの程度なのか、でした。なので、九州でテストしましょう、と伝えたのです。

九州は日本の南端にあって、日本全体の10％ほどのマーケット。それなら、まずは大丈夫だろう、ということになりました。

九州のテストマーケティングでは、発売1カ月でいきなり缶チューハイレモンフレーバー部門のトップシェアを獲得しました。九州でしか売っていないのに、人気タレントが全国放送のテレビ番組で取り上げてくれたりもしました。

テレビ番組というのは「マツコの知らない世界」です。3種類のラインナップや前割りレモン製法まで紹介してくれ、「コカ・コーラがとうとう酒を売るか」というマツコ・デラックスさんのセリフまで飛び出しました。これが大きな話題になり、ますます人気に火が付きました。九州に出張に行ったビジネスパーソンがお土産に買って帰っている、という話も聞きました。

もちろんテストマーケティングですから調査もしました。消費者からは「飲みやすい」「クリアテイスト」「フルーツテイストがおいしい」「クラフトマンシップを感じる」「新しい」「フレッシュ」といった声が上がっていました。

どうして購入したのかを聞くと、「クラフトのレモンサワーだったから」「レモンがたくさん入っているから」という理由がもっとも多かった。まさに狙い通りでした。

一方で、課題も見えてきました。

プレミアムマーケットを新たに創ることができた

缶酎ハイのユーザーには、さまざまな人がいます。1週間で缶酎ハイを何本も飲む人もいれば、数カ月に1本という人もいます。

酎ハイ市場の8割を構成しているのが、1週間に何本も飲む人。言ってみれば、ヘビーユーザーによる購買なのです。

競合と比べたとき、「檸檬堂」はこのヘビーユーザーが取れていないことがわかりました。その理由の一つが、逆にいえば私たちの成功の理由でもありました。ほとんど酎ハイを飲まなかった人たちが、買っていったからです。

テレビCMでも、若い女性たちが飲んでいるというシーンを登場させました。「ああ、若い女性も飲んでいいんだ」という雰囲気を醸し出した。

これまでのレモンサワーは、「私たちのものではなかった」と思っていたけど、「こんな素敵なブランドができたのなら」と、若い女性たちにも買ってもらえたのです。

パッケージがこれまでとはまるで違っていたことも大きかったと思います。いわゆる「ジャケ買い」です。

実際、これまで飲んでいなかった若い女性が、インスタグラムに次々に「『檸檬堂』を飲んでいる」と投稿してくれたりしました。新しいカテゴリーユーザーが入ってきたのです。

もともと3000億円だった酎ハイマーケットは、3年で4000億円規模に拡大しています。私たちが若い女性やライトユーザー向けを出したことで、競合も次々と同じカテゴリーに商品をぶつけてきたからです。

しかも、「檸檬堂」が創ったのは、従来よりも値段の高いプレミアム市場です。108円ではなく、128円、138円。これは、お店からも喜ばれました。1缶のスペースは同じでも、入ってくる利益が大きいからです。

単価が上がり、しかも安売りしなくても売れるプレミアムの酎ハイ。だから、日本コカ・コーラがアルコール飲料に入ってきても、喜んでもらえたと私は思っています。すごいですね、いいブランドですね、おいしいですね、という声も業界内からいただきましたが、プレミアムで来たことが大きかったのではないかと思うのです。

つまり、マーケットを大きくすることができたのです。

競合にすれば、マーケットシェアを少し奪われようが、マーケットが3000億円から4000億円になったら、こんな嬉しいことはない。しかもプレミアム市場を開拓してくれたのです。だから、「やってくれてありがとう」だったと思うのです。

もし、エッジも立てず、プレミアムも狙わず、単に新商品を出して、競合内でシェアの食い合いをしていただけなら、お叱りを受けたかもしれない。しかし、市場を大きくし、しかもプレミアムマーケットを創造できたというのは、マーケット関係者からは歓迎されたのです。

この成功によって、私は2020年に日経クロストレンドの「マーケター・オブ・ザ・イヤー」大賞に選んでいただきました。実際にはチームが作ったのだと声を大にして言いたいですが、それでも選んでもらったのは、単にシェアの食い合いをするのではなく、新しいマーケットを開拓できたからだと思っています。

さまざまなポテンシャルをこじ開けることができた

少し時計を進めてしまいましたが、九州のテストマーケティングで見つけたヘビーユーザーに支持されていないという課題には、もちろん対策を打ち出しました。ヘビーユーザーからの支持が大きくならなかったのは、テレビCMに若い女性を使ったことに加えて、高いアルコール度数のラインナップがなかったからだとわかっていたからです。

「檸檬堂」が出していたのは、3%、5%、7%の3種類。そこで9%の度数の製品を作ることにしたのです。これが、「鬼レモン」でした。

普通なら、「9%の『鬼レモン』が出ました」とうたう広告を作りますが、そうはしませんでした。

「鬼レモン」を打ち出すにあたり、徹底的にリサーチをしたのです。そして、データを取って分析しました。3%、5%、7%、9%のアルコール度数があったとき、どんなふうに製品を選ぶのかを聞いたのです。

それでわかったのは、「実は気分によって選んでいる」ということでした。**期待されていたのは、3%、5%、7%、9%のラインナップが揃っているということであって、「9%が出ました」という打ち出し方ではないとわかったのです。**

実際、「9%が出ました」という打ち出し方を求めていない、ということはデータからもはっきりわかりました。それは、ヘビーユーザーでも同様でした。

そこで、3%の「檸檬堂　はちみつレモン」、5%の「檸檬堂　定番レモン」、7%の「檸檬堂　塩レモン」、9%の「檸檬堂　鬼レモン」の4種類の製品の写真を並べ、「あなたは何レモン?」というキャッチフレーズをつけた広告を作りました。これが、強く支持され、すべてのラインナップが大きく伸びたのでした。

さらに後に350ミリリットルだけでなく、500ミリリットルも出すことになりますが、ここでも知恵を絞りました。単なる「500ミリリットルが増えました」では、あまりに面白くない。

リアルな専門店では、普通よりも大きなサイズのレモンサワーは「メガサイズ」といったネーミングで出されていました。そこで、「檸檬堂」も「ホームランサイズ」という呼び名にしたのです。

これは、チームのメンバーのアイデアでした。お店風にしたい、ホームランサイズという名前にしたいと聞いたときには、なんとも遊び心を感じられて、笑いながらすぐに「よし、それで行こう」とジャッジしたのを覚えています。

少人数でのプロジェクトで、私にほとんど100%の権限が委ねられており、「和佐さんがいいと思うなら、やったらいいよ」という状況を会社が作ってくれていました。だから、すべてにおいて遊び心たっぷりの仕事にすることができたのが、「檸檬堂」のプロジェクトでした。

私がOKを出せば、なんでも動いてしまう。歴史ある大きなブランドだと、こうはいきません。いろいろなところで、「前はこうだった」といったチャチャが入る。しかし、新ブランドはそんなことはないのです。

細かなところまで遊び心を使い、楽しく進めたのでした。だからこそ、うまくいったのだと思っています。そして、やはり王道、定番にこだわったこと。**一番売れるのは、やはり真ん中なのです。**

真ん中でこそ、勝負する。そして、どこにもないエッジの立ったものを作る。「ああ、これは私のブランドだ」と思えるものにこだわる。レッドオーシャンに見える市場でも、チャンスは必ずあるのです。

「檸檬堂」はすでにグローバルに進出しています。パッケージの漢字の部分をそのままアルファベットの「LEMONDO」にして、世界でポテンシャルのあるところで販売されています。

たとえばフィリピンでは、大変な売れ行きで、「アルコポップ」市場ですでに定番ブランドになっているそうです。グローバルのコカ・コーラでは、このプロジェクトが発端になって、アルコール製品の新たな模索が始まっています。

コカ・コーラという世界的企業の新たなポテンシャルをも、「檸檬堂」はこじ開けたのです。

第6章

「イノベーション」をイノベーションする

42の便益を活用せよ

イノベーションとは「新結合」である

どうすればいいアイデアが出てくるのか。どうすればイノベーションが起こせるのか。何かとっておきの方法はないか……。

これは私がマーケターになって以来、ずっと考えてきたことでした。マーケターに限らず、多くのビジネスパーソンが、同じような思いをお持ちだと思います。

私自身、P&G在職中からずっと考えていましたし、ビジネスやイノベーションに関する、さまざまな書籍にも目を通してきました。そして、私なりにはっきりとわかったことがあったのでした。そしてずっと考え続けて、おそらく世界で誰もこんなことは考えていないだろう、ということにも気づきました。本章では、それについて書き記していきたいと思います。

そもそも新しいアイデアやイノベーションとは何か。私は、ゼロからのイノベーションというのは、宇宙のビッグバン以外にはないと思っています。**すべては、すでにある「点」と「点」の結合によって生み出されている**ということです。

まさにこれを、1911年にヨーゼフ・シュンペーターが定義しています。

「イノベーションとは、新結合である」

イノベーションには、製品のイノベーションもあれば、プロセス、ビジネスモデルなど、さまざまなものがありますが、いずれも「点」と「点」の新しい結合である、とシュンペーターは定義したのです。そして、イノベーションは、社会や顧客の価値を創造するものだとしている。

よく聞かれることに、イノベーションとマーケティングはどう違うのか、があります。これはシンプルで、すでに顕在化しているものに対してアプローチするのが、マーケティング。それに対して、潜在的な欲求に対して新しい価値を提供するのが、イノベーションだということです。どちらの枠が大きいのかと言えば、マーケティングでしょう。マーケティングは、売れる仕組みのすべて、欲求を満たす価値の提供ということになります。

もっと言えば、マーケティングがもたらすのは「持続的なイノベーション」。イノベーションがもたらすのは、「破壊的なイノベーション」という言い方もできると思います。そして、企業はその両方をやっていかなければいけません。私が講演などでよく例に挙げるのが、視力が落ちてしまったときに、人類が何をしてきたか、というプロセスです。

最初は、目が見えにくくなったらレンズで視力を補強すればいいのではないか、というアイデアが出てきた。片目から始まって、両目のほうがいいとメガネというものができた。さらに、レンズの質がだんだん高まり、薄くなったり、ガラスから割れないプラスチック素材になったり、サングラスというものも生まれた。レンズというイノベーションは、こうして持続的なイノベーションを続けて発展していったわけです。

ところが、破壊的なイノベーションが生まれた。「レンズを目の中に入れてしまえばいいのではないか」。こうして誕生したのが、コンタクトレンズです。こちらも持続的イノベーションが進み、ハードコンタクトレンズからソフトコンタクトレンズへ、ワンデー、さらにはカラーコンタクトへ。しかし、また破壊的なイノベーションが起こります。今度は目の中を変えればいいのではないか、と。レーシックです。

イノベーションのジレンマはなぜ起こるのか

持続的なイノベーションと破壊的なイノベーションの違いを理解してもらえたと思います。企業はこの両方をやっていかなければいけません。そうでなければ、破壊的なイノベーションの登場で、マーケットは大きく変化していく可能性があるからです。

しかし、破壊的なイノベーションは、とんでもないところにあるわけではない、という理解も必要です。

ソニーの「ウォークマン」は、音楽を外に持ち出そう、というきわめてシンプルな発想から生まれました。驚くほど高度なテクノロジーが必要だったわけでもない。小さくして外に持ち出そうとしただけです。

スリーエムの「ポスト・イット」は、開発中の接着剤がはがれやすいという失敗を逆手に

持続的イノベーションと破壊的イノベーションの原理

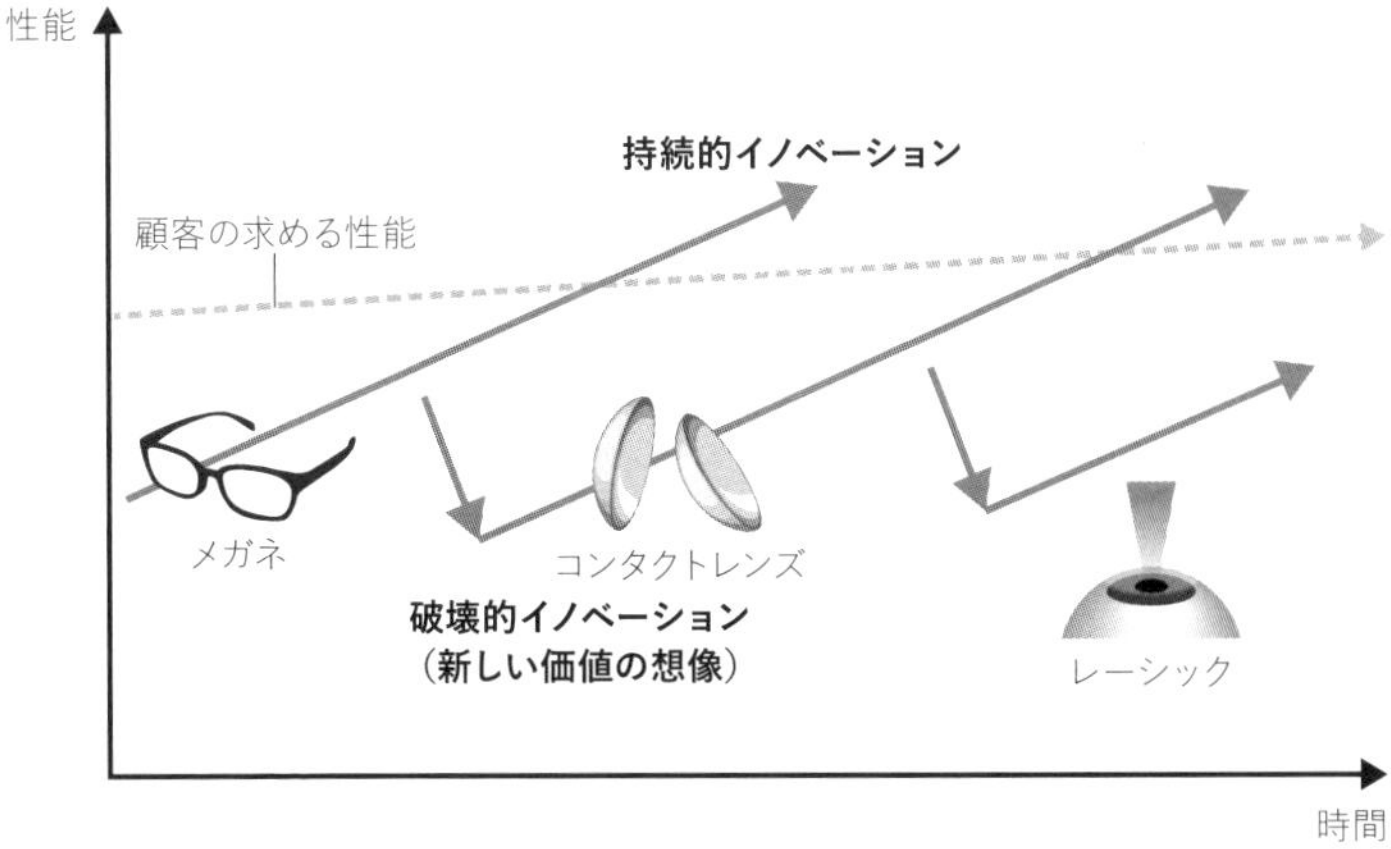

取った破壊的イノベーションでした。

任天堂の「Ｗｉｉ」は、ゲームの既存ユーザーではなく、ファミリーユーザーに緩く遊んでもらう、という発想からまったく新しいマーケットを開拓しました。「ゲームで運動しよう」という逆転の発想です。

破壊的なイノベーションは、まったく新しい市場を生み出します。にもかかわらず、企業にとって危険な落とし穴は、破壊的なイノベーションはやっぱり難しいから、と持続的なイノベーションばかりに一生懸命になってしまうことです。

言葉を変えると、「知の探索」ではなく「知の深化」にばかり意識が向かってしまう。探索をしなくなってしまう。そのほうが、ラクチンに見えるからでしょう。そうなると中長期的にはイノベーションの力は停滞します。これは「コンピテンシートラップ」と呼ばれています。「レッドオーシャン」「ブルーオーシャン」という言葉も、同じことを違う言い方で言っているだけです。

「知の深化」に向かうと競合が多く、価格競争に陥ってしまう。これが「レッドオーシャン」。しかし、「知の探索」で成功すれば先行者利益が得られる。これが「ブルーオーシャン」。

わかりやすい例に、富士フイルムとイーストマン・コダックがあります。コダックは、会社としては初めてデジタルカメラを開発するのですが、当初は画質が悪かった。そこで当時の上層部は、フィルムよりも劣る画質のテクノロジーなど必要ない、と判断してしまったのです。富士フイルムは、同じくフィルムメーカーでしたが、デジタルの可能性にも目をつけていた。そしてフィルム事業の将来の危うさを見抜き、そこから「知の探索」によって美容や医療の領域に舵を切っていきました。後にコダックは倒産に追い込まれます。

目の前の短期的な効率を求め、「知の深化」に傾倒してしまうと、中長期的なイノベーションが停滞する「コンピテンシートラップ」に陥ってしまうのです。

他にも、携帯端末の「ブラックベリー」と「iPhone」がそうでしょう。テキストはタイプするものと「ブラックベリー」は考え、あくまでタイプにこだわってイノベーションを考えていったわけですが、タッチパネルを持った「iPhone」のスワイプという手法が出てきて、消費者はどんどんそちらに向かってしまった。「ブラックベリー」は、マーケットから姿を消しました。

また、「湯沸かし保温ポット」も破壊的なイノベーションによって、マーケットが揺さぶられた商品だと思っています。お湯を沸かし、そのまま保温ができる。かつては、お湯はやかんで沸かすものでしたが、お湯を沸かせるだけでなく、保温もしておけるというのは、まさに画期的なイノベーションでした。ところが、30秒ほどでお湯が沸かせる「電気ケトル」が登場してしまった。すぐにお湯が沸かせるので、保温しておく必要もない。しかも、いつでも新鮮なきれいな水を使える。新しく破壊的なイノベーションが登場し、それを開発したメーカーが、ブルーオーシャン市場を席巻していったのです。

ポットのマーケットも、テクノロジーの活用で生き延びることはできます。しかし、その市場はかなり小さくなってしまう可能性が高いのです。

消費者にとっての普遍的な便益は「42個」しかない

イノベーションとは何だろう。破壊的イノベーションとは何か。マーケティング的な持続的イノベーション、破壊的イノベーションとは何か。それは、P&G時代からずっと私が考えてきたことでした。もちろん本を読んで定義も理解しつつ、そもそもP&Gは「WHO」「WHAT」「HOW」から始まる会社。では、イノベーションの「WHAT」とは何か。そ

歴史的なイノベーション

〈先代〉

火起こし
石器
エジソンの電球
ワットの蒸気機関
ライト兄弟の飛行機
自動車

〈昭和〉

カラーテレビ
冷蔵庫
クーラー
電子レンジ
魔法瓶
ホッチキス
シャープペンシル
瞬間接着剤
ポスト・イット
携帯電話
宅急便
ウォークマン

〈1990年〜〉

インターネット
アマゾン
楽天
グーグル
デジタルカメラ
スマートフォン

〈最近〉

ルンバ
メロンパンの皮
グリーンファン
CHAT GPT

れを自分で出してみよう、と考えるようになったのです。

つまり、過去のイノベーションは、何を自分たちにもたらしたのか、です。平たく言えば、「便益（ベネフィット）」です。そのイノベーションは、どんな消費者便益があるのか、歴史をひもといてみたのです。前頁は、歴史的なイノベーションの一部。さて、どんな便益が消費者にもたらされたと思いますか。

イノベーションには、発明のようなものから「メロンパンは皮がおいしくて、中はポソポソしているから、皮だけ売っちゃえ」とか「ビジネスパーソンが通勤のときに履いてくれたら快適なので、この靴下は通勤快速をもじって『通勤快足』というネーミングにしちゃおう」みたいなライトなイノベーションもあります。しかし、大ヒットしています。

いずれにしても、これらイノベーションの共通項は、新しい価値を提供していること。**新しい価値とはつまり、消費者にとっての便益（ベネフィット）なのです。**

では、それはどのようなものなのか。さまざまなイノベーション、これは破壊的なイノベーションも、持続的なイノベーションもですが、その普遍的な便益を何年もかけて書き出していくうちに、私はあることに気づきました。

42を超えると、もはや便益は見あたらなくなっていったのです。表現の違いを別にすれば、便益が書けなくなってしまった。時間を置いて考えても同じでした。つまり、イノベーションの便益は42個しかなかった、ということです。その便益が次頁です。

イノベーションの42の便益

1 現行問題点の解決
2 既存商品の性能の進化
3 新しい便益の提供
4 自動化
5 簡単化
6 効率化
7 より良いデザイン
8 速い
9 小さい
10 軽い

11 安全
12 ECO
（省エネ・ごみを出さない・リサイクル）
13 より良い五感の刺激
（視覚・聴覚・触覚・味覚・嗅覚）
14 ファンタジー
15 ラクチン
16 快適
17 保存・長持ち
18 自然に近い

19 便利
20 おトク（安い）
21 選択肢が多い
22 カスタマイズ
23 新しい体験
24 本物に近い
25 健康に良い
26 老化を防ぐ
27 美しくなれる
28 異性にもてる
29 暇つぶし
30 連帯感
31 向上心の刺激
32 競争心の刺激
33 失敗を未然に防ぐ
34 家族的なつながり
35 やすらぎ
36 興奮・高揚
37 郷愁
38 共感・自己顕示欲
39 遊び心
40 楽しい
41 探せる
42 遠隔操作

さて、いかがでしょうか。セミナーなどでも問いかけているのですが、これ以上、普遍的な消費者便益は果たしてあるでしょうか。

そして便益が42しかないことがわかって、あることに気づきました。**自分たちの商品やサービスを、この42の便益に掛け算していくことによって、さまざまなイノベーションにつなげていける**のではないか、ということです。

まさに「新結合」です。掛け算することによって、42の便益は、イノベーションのヒントにできるということです。

イノベーションは、意外な組み合わせでできている

消費者便益と自分たちの製品やサービスを掛け算することで、イノベーションのヒントにできる。しかし考えてみたら、もう一歩、踏み込むことができると思いました。

実は、しっかりとした便益を持った人々を驚かせるような画期的なものも、身の回りにあるようなシンプルなモノや体験、出来事でできていたということです。

私も携わることになったP&Gの「ファブリーズ」は、こういうことではないでしょうか。

臭いを閉じ込める技術 × ドライクリーニングできない大型のもの（1 現行問題点の解決）

先にも少しご紹介していますが、「ファブリーズ」のイノベーションは臭いをカプセル化技術で閉じ込めてしまえる、というところにありました。

これをダイエットニーズに結合させてしまったのが、花王の「ヘルシア」だったのです。

カテキンをカプセルで閉じ込める技術 × ダイエット（25 健康に良い）

もう一つ、面白いイノベーションの例をご紹介しましょう。「画像認識システム」、これは、デフレで経済危機に陥ったスペインが税金をどんどん上げていったときに起きたイノベーションです。

なんと、劇場の演劇チケットに国が21％もの税金をかけた。これではチケットが高すぎて、みんなが行けなくなってしまった。そもそも、観劇に行くお金がない。

そこで劇場の人が考えたアイデアが、「Pay per Laugh」でした。劇場に画像認識システム、つまり顔の表情を把握できるシステムを導入して、一度も笑わなかったら無料にします、としたのです。

みんな、「笑わないぞ」と来るわけですが、やっぱり面白いと笑ってしまう。それがウケてバズったのです。

1回笑うと0・3ユーロ払わなければなりません。しかし、上限が設けられているので、笑い過ぎても、それ以上はかからない。こんなところもウケて、来場者が増え、単価も上がったという、ユニークなイノベーションでした。

画像認識システム ×劇場（40楽しい、32競争心の刺激）

こんな結合です。

さて、これらをご覧になって、どうお感じになったでしょうか。

何かとんでもない知識や発想があったから、イノベーションが起きたわけではない、ということにお気づきになられたと思います。

新しいテクノロジーを、何かシンプルなものに掛け算することによって、イノベーションは起きたのです。

ただ、ここで問われたものが一つだけあります。それは、より多くの「掛け算する何か」を知っていたか、ということです。

「閉じ込める技術」というテクノロジーも、クリーニングという「掛け算する何か」と結びつかなければ「ファブリーズ」にはならなかった。

「劇場」の人が「画像認識システム」を知っていたからこそ、「Pay per Laugh」という画期的なアイデアは生まれた。

つまり、「掛け算する何か」がいかに重要か、ということです。これこそ、先にすでに何度も触れている「コネクティングドット」なのです。結びつく可能性のあるドット。知識だったり、体験だったり、技術だったり。

それがあるとき、ひょいと結びついて、消費者にとっての便益を生む画期的なアイデアやイノベーションを生み出すのです。

「ドット」のシャワーを浴びよう

世界を驚かせるイノベーションを次々と送り出したスティーブ・ジョブズは、まさにこのコネクティングドットの重要性について語っていました。スタンフォード大学での卒業生向けの有名なスピーチです。

実は大学を中退して、カリグラフィの勉強をしていた。そのときには、アップルのようなコンピュータの会社を立ち上げるとは思っていなかった。しかし、カリグラフィでいろいろな文字を学んだことによって、アップルという発想が生まれた。

今、私たちがパソコンの中でさまざまな文字を選べるのは、ジョブズがカリグラフィを学んでいたからです。だから、こういう遊び心が生まれたのです。

つまり、**思わぬ経験が、思わぬところで生きてくる**、ということです。それこそが、コネクティングドットです。だから、そのドットの収集を忘れないように、「Stay Hungry」と彼は言ったのです。ドットのシャワーを浴びよう、と彼は伝えたかったのです。

イノベーションを起こそうとしたり、画期的なアイデアを生み出したいと考えたりする前に、**その可能性（ドット）に気づけるかどうかが重要**になるのです。

最近のイノベーションもコネクティングドットで、説明ができます。たとえば、インターネット（ｗｗｗ）。

ｗｗｗ　×　お店　＝　インターネットモール（**19**便利、**23**新しい体験）
ｗｗｗ　×　百科事典　＝　グーグル（**8**速い、**19**便利）
ｗｗｗ　×　名簿　＝　フェイスブック（**19**便利、**38**共感・自己顕示欲）
ｗｗｗ　×　ＧＰＳ　＝　グーグルマップ（**19**便利、**41**探せる）

さらに、こんなものも派生的に生まれています。

グーグルマップ　×タクシー　＝　ウーバー（16快適、19便利、42遠隔操作）

近年、大ヒットした商品もコネクティングドットを見てみると、どこにでもあるものだったりします。

蒸気　×　トースター　＝　バルミューダ・ザ・トースター（13より良い五感の刺激）

AI　×掃除機　＝　ルンバ（15ラクチン、19便利、23新しい体験）

ちょっと古いですが、レコードレンタルというサービスは、当時2500円ほどだったレコードを、一泊二日で250円で借りられるようにしました。10分の1の値段ですから、これは音楽ファンにとってはうれしい。大ヒットしました。

しかし、考えてみたら、これはいわゆるトイチの金利よりも高いのです。そして10回借りてもらえば、後はずっと利益。なんとすごいビジネスでしょうか。言ってみれば、トイチを合法的にできるイノベーションだったのです。

トイチの金利　×レコード　＝　レコードレンタル（20おトク）

イノベーションを生み出した偉人たちは、本当に素晴らしいと思います。しかし、こうして見てみると、そのドットは、誰にでも手に入れられるものでした。問われたのは、そのドットを持っていたか。もっといえば、**コネクティングドットが意識できていたか、**です。

「私のコネクティングドット」は、どう仕事に生きたか

私の手がけてきた製品について、前章まででご紹介してきましたが、実はこれもすべてコネクティングドットで説明することができます。開発者が、あるいは私が偶然にも浴びていたドットが、イノベーションにつながっていたのです。

日本酒の杜氏　×　スキンケア　＝　ＳＫ－Ⅱ（27 美しくなれる）

先にも少し触れていますが、「ＳＫ－Ⅱ」のルーツは、お酒や麹を扱っている年輩者の手が、ものすごく若々しかったことです。そこには何かヒントがあるに違いない、と麹や発酵代謝物にヒントを得て、科学者が酵母菌を使って「ＳＫ－Ⅱ」の製品を作りました。

三十数年前ですから製品にするのに大変なお金がかかり、プレミアムでニッチなブランド

だったのですが、「マックスファクター」が買収し、いいマーケティングをして、グローバルで数千億円というブランドになりました。

これも日本酒の杜氏とスキンケアというコネクティングドットで生まれたイノベーションだったのです。

ガンプラ　×　ファンデーション　＝　SK－Ⅱ　エアータッチファンデーション（1現行問題点の解決、23新しい体験、27美しくなれる）

ファンデーションをパフで塗るのではなく、スプレーで塗る「エアータッチファンデーション」というイノベーションを提案したら大ヒットした、というエピソードはすでに書いていますが、これは私がガンプラを趣味にしていた時代があったからです。

ガンプラを刷毛やパフで塗ることはありません。やはり最後のフィニッシュは、飛ばすエアーブラシがいい。ガンプラというドットが、大ヒットした「エアータッチファンデーション」に結びついていたのです。

大阪新地　×　落ちないリップ　＝　マックスファクター　リップフィニティ（1現行問題点の解決、27美しくなれる）

「マックスファクター」に携わっていた時代、大阪新地のクラブに飲みに行くことがありました。そこで耳にしたのが「落ちないリップが欲しい」という声でした。接客していると、何度もリップを塗り直しに行けないから、と。

こんな体験もコネクティングドットになります。実際に落ちないリップをカラーコスメ部門のメンバーにお願いして作ってもらったのです。それが「リップフィニティ」。松嶋菜々子さんを起用し、「私の唇は、なかなか落とせない」というキャッチコピーのキャンペーンは大ヒットしました。

また、イノベーションではないかもしれませんが、過去に得た情報を現在の状況に掛け合わせることで、大きな効果を生み出すこともできます。

ナホトカ号重油流出事故　×　DAWN　＝　ジョイ　鳥救済活動キャンペーン（30連体感、38共感）

P&Gのホームケアで「ジョイ」を担当していたとき、ナホトカ号重油流出事故が起こりました。このとき、鳥を救出するために日本野鳥の会に「ジョイ」を寄付したというエピソードはすでに書いていますが、これもコネクティングドットでした。

海外では「DAWN」というネーミングで展開していた「ジョイ」が、油汚れにも強いけれど、肌にもやさしいということで、海外でかつて起きた重油流出事故で重宝されたというニュースを知っていたのです。

このときは、チームで実際にボランティアにも行きました。そして、キャラクターの「ジョイくん」に「今日はいいことをした」という報告をさせることができた。海外の事例を知らなかったら、このアイデアは生まれていなかったと思います。

コパカバーナ×マチコンレモン（マテ茶）＝太陽のマテ茶（23 新しい体験、25 健康に良い）

これもすでに紹介していますが、なぜ私が大ヒットした「太陽のマテ茶」を送り出せたのか。いくら消費者リサーチを繰り返しても、「マテ茶が飲みたい」などというニーズは得られなかったでしょう。

大学時代に卒業旅行で私はブラジルに行き、リオのカーニバルでエネルギーをもらい、コパカバーナでマチコンレモンを飲んでいたカッコいいブラジル人をたくさん見ていたのです。

このコネクティングドットがあってこその「太陽のマテ茶」でした。

ジャマイカ　×　ブルーマウンテン　＝　ジョージア　エメラルドマウンテンCM（13より良い五感の刺激、32共感）

これも、1990年、大学の卒業旅行でレゲエを聴きに行ったジャマイカで、好奇心で登ったブルーマウンテンでコーヒー豆に興味を持ったことがきっかけです。25年後の2015年に「ジョージア」ブランド担当になり、「エメラルドマウンテン」のテレビCMを作ることになりました。過去のドットが、思わぬところで繋がったいい事例だと思います。

新しいものは簡単ではない。あきらめずに、どこまで粘れるか

間違ってはいけないのは、後に「ジョージア」を担当するつもりで、ブルーマウンテンに登ったわけではないということです。

コネクティングドットの重要なポイントは、どこでどうつながってくるかわからないドットの収集を、日頃から怠らないということです。

常にアンテナを張っておく。いろいろなことに興味関心を持つ。メモを取っておくことも大事でしょう。私は、何か新しいことを経験したり、何か新たに感じることがあったり、これは消費者のインサイトかなと思えることがあれば、必ずメモをしたり、写真を撮って記録

したりしています。

それは、仕事に関係することだけではありません。異業種のこと、仕事に関係のないこと、世代を超えたことなど、一見仕事に関係のないことにもいろんなところにヒントがあることを肝に銘じて、日々を過ごしているのです。

顕在化していないニーズ、インサイトを見逃さない。常に周囲を見回して関心を探り、メモを取ったり、考えたりする習慣をつけておく。そうすることで、何かプロジェクトに携わることになり、アイデアを求められると、コネクティングドットから発想がパッと浮かんでくる。そういうことが、起きてくるのです。

グーグル（現アルファベット）には「ムーンショット」という考え方があります。月に何かを飛ばす。グーグルとしては、そのくらいの世界的な問題点に取り組もう、解決するテクノロジーに挑もう、という考えがあるのだと思います。

大きな問題に対して立ち向かおうとするからこそ、大きなイノベーションが生まれる。競合が簡単に真似できないようなテクノロジーにもつながる。すぐに真似をされては、大きな利益は生み出せないからです。

グーグルには、その専門チームがあります。アメリカでムーンショットを担当している人が日本にやってくることになり、グーグルの人を介してインタビューをさせてもらったことが私にはあります。

率直に「イノベーションとは何だと思いますか」と尋ねてみると、返ってきたのが、これでした。

「コネクティングドットだ」

そして、こうも言われました。

「和佐さん、コカ・コーラは基本的にコンサバティブな会社だ。大きなイノベーションは難しいと思ったほうがいい。だから、和佐さんがやるべきことは、外部の人と組んでイノベーションを起こすことだよ」

私は日本コカ・コーラで、グローバルも含めて初めてのアルコール飲料を手がけました。これは、大きなイノベーションになったと思っています。このときも、「専門店」「クラフトマンシップ」「レトロ」などが、コネクティングドットとして生きました。イノベーションのヒントは、中にではなく外にあったのです。

クリエイティブな発想は、いきなり思いつくわけではないのです。何かと何かを結びつけることで、さまざまなアイデアになる。コネクティングドットを、いかに幅広く豊富にできるか、なのです。

そして、そのアイデアをブラッシュアップしていく。アイデアだけでは、消費者に受け入れられない可能性がある。ここで、「42の便益」を使うのです。どんな便益になるのかを、当てはめていく。そして消費者が「それは欲しいね」というものにまで昇華させていかなければなりません。

極端に言えば、何か新しい技術が見つかったら、「42の便益」と片っ端から掛け算してみればいいのです。どこかで消費者の「それは欲しいね」と重なるはずです。

そのときに必要になるのが、粘りです。アイデアの芽が出たからといって、それがすんなりと前に進むわけではありません。そこからいかに粘れるか。

もとより革新的なイノベーションは、今まで誰も考えたことのないようなアイデアであり、必ずと言っていいほど反対勢力が現れます。目に見えない「殻」のようなものが、現実の社会にはあるのです。

ですから、情熱とデータをもって、根気よくまわりを巻き込んでいく必要があります。私が担当した「太陽のマテ茶」がそうだったように、2年越し、3年越しの交渉が必要なこともあります。キモは最後まで決してあきらめないことです。いつか殻を破れる日が来ます。

それでも失敗することはあります。消費者の習慣を変えさせるものや、継続的な商品使用は事前の消費者リサーチでは計りにくいのが現実です。でも、へこたれてはいけないのです。へこたれなかった人だけに、神様は微笑むのです。

第7章

ビジネスを必ず成功に導いてくれる8つの信念

私が大切にしている心の持ち方

P&G時代、さまざまなトレーニングを受けることになりましたが、そこでは、いろいろな先輩方からの学びを得ました。そして多くの先輩方が「自分の信念は何か」を明確に持っていることを知りました。

同時に、自分の信念のようなものをまとめたほうがいい、というアドバイスも受けました。そこで、少しずつ自分なりの考えを書きため、整理し、今では8つの信念を持つに至りました。

講演の機会をいただくと、本書に記したようなビジネスケースやイノベーションの話をしたあと、最後にこの「8つの信念」で締めくくることが多いので、本書でも最終章で、それをご紹介しようと思います。

実際、これまで紹介したビジネスケースの成功の要因は、この「8つの信念」に結びついていることが少なくありません。そして講演を聞いてくださった方に聞くと、自分にどう役立てるかという意味で、この「8つの信念」に共感した、という声がとても多いです。

ビジネスを、また人生を成功させるにあたり、ぜひ参考にしていただけたらと思います。

①パッション・情熱とたゆまぬ努力

これまで一緒に仕事をしたことのある人に、「私、和佐というのはどんな人間ですか」と問うたら、多くの人がこう答えると思います。

「パッション、情熱の人」

8つの信念の一つ目は、まさに「パッション・情熱とたゆまぬ努力」です。

努力をしたからといって、成功する確証はありません。しかし、成功の裏には必ず情熱とたゆまぬ努力があるものだと私は考えています。意志のあるところにこそ、道はできる。私は本当にそう思っています。だから、パッション・情熱の火を燃やさなければならないのです。

実際、さまざまな世界で成功した人、**偉業を成し遂げた人に共通しているのは、情熱があること、そしてあきらめずに努力を続けていったこと**だと思うのです。

エジソンは1000の失敗があっても、それは失敗ではなく、成功へ続く一歩だと語っています。ライト兄弟は、考えられないほどの苦難を乗り越えて飛行機を空に飛ばしました。また、長野オリンピックの日の丸飛行隊、2023年ワールドベースボールクラシックの栗山英樹監督率る日本チームの頑張りには、多くの人が感動をもらいましたが、それは情熱とたゆまぬ努力があってこそだと思うのです。

私はバレエやクラシックコンサートを見るのが好きですが、一流のバレエダンサーの練習を見せてもらう機会があり、本当に驚きました。やはり大変な努力と節制をしているからこそ、踊りを見て震えるような、鳥肌が立つような瞬間が訪れることをあらためて知ったのです。

とりわけ仕事でチームを率いるときには、リーダーがパッション・情熱を持っていなければなりません。チームは、恐ろしいほどリーダーを見ているからです。P&Gジャパンでも、日本コカ・コーラでも、成功しているリーダーにパッション・情熱がなかったというケースはあり得なかったと思います。

本書で紹介しているビジネスケース、「マックスファクター」も「SK-Ⅱ」も「ジョイ」も「ファブリーズ」も「綾鷹」も「太陽のマテ茶」も「ジョージア」も「檸檬堂」も、すべての原点はパッション・情熱なのです。

②チームのパワーを信じる

私は天才ではありません。凡人だと思っています。では、なぜ結果が残せたのかと言えば、チームのメンバーに助けられたから。みんなで一緒に達成ができた。それが楽しかったし、苦しんでいるときには仲間たちが大きなパワーをくれたのです。

「三人寄れば文殊《もんじゅ》の知恵」という言葉がありますが、チームのメンバーのコラボレーションは大きな力を生みます。コラボレーションには難しさもありますが、それだけに高いポテンシャルを秘めているのです。

それぞれのメンバーを尊敬し、それぞれの強みをいかに生かしていくか。これは、リーダーの重要な役割です。

そしてリーダーとして私が強く意識していたのは、任せることです。「そこまで任せるの？」というほどに任せる。そして、エンパワー、応援し、鼓舞する。

私はチームのメンバーよりも、マーケティングやビジネスに関して経験値が高いことが少なくありません。だから、「こうしろ、ああしろ」と指示を出してしまうと、その方向に進んでしまう。しかし、それではチームは成長しません。むしろ、考えなくなってしまう。

ビジネスのゴールを明確にし、期待値ははっきりさせますが、そこにどうやってたどり着くのかはチームに委ねます。私は困ったときにアドバイスをしたり、助け船を出したりはしますが、基本はすべてチームに委ねていました。

2020年、私は日本と韓国のコカ・コーラで150名近いマーケティング本部のメンバーを統括するCMO（最高マーケティング責任者）に任命されました。日本・韓国のコカ・コーラのすべてのブランドのマーケティング戦略を統括する大変重要なポジションです。このとき、私はこうメッセージしました。

「私のところに、テレビ広告の承認判断を持ってこないでほしい。カテゴリーのリーダーで決めてほしい」

戦略の指針は出しますが、後はチームを信じたかったから。そして、チームのパワーを信じたかったから。

そしてこのチームには、部下や社内のメンバーだけでなく、代理店などの社外の人たちも含まれます。あらゆる分野のメンバーの力が結集されてこそ、不可能と思われる課題も解決することができるのです。

マーケティングにとっては、広告代理店は戦略的パートナーです。だから、先にも書いていますが、一方的に呼びつけたりしない。会議は、来てもらうこともあれば、自分たちが伺うこともある。できるだけ、コンペは避ける。

そうしたチーム意識、パートナー意識は、必ず結果を変えると私は考えています。

③ 基本の徹底と戦略的集中

仕事においてもっとも大切なことは、基本の徹底、そして戦略的集中です。

日本コカ・コーラでの「綾鷹」「ジョージア」の再生において、「3Aアナリシス」を徹底させたことを紹介しました。

「Acceptability／消費者にあなたの製品は好かれていますか」「Availability／消費者が買いたいと思ったときに、すぐ手の届くところにありますか」「Affordability／適正な価格ですか」という、ごくごくシンプルな3つの問いかけです。しかし、この「3A」がクリアになっていないことは決して少なくないのです。

イチロー選手や大谷翔平選手など、華々しい活躍をしている大リーガーが、いかに基本を徹底しているか。徹底的な体づくりとルーチン。その基本の徹底が、大きな結果を生み出しているのです。

そして、選択と集中。マーケットはさまざまなことが起こるので、あちこちに注意が向いてしまいがちです。しかし、ある伸びたビジネスがあって、5年後、10年後に振り返ったとき、「どうしてあの会社は伸びたか」「あのブランドは強くなったか」という記事が書かれたときには、おそらくそこで書かれるポイントは、1つか2つだと私は思っています。

自分がビジネスを動かすことになったとき、考えるべきは、その1つ、2つなのです。何を動かしたら状況が改善するのか。そのポイントを見つけることが大切になるのです。

「マックスファクター」を担当していたとき、上長が1500SKUを、500SKUに絞り込みました。売り上げの6割に近い製品を切り捨ててしまったのです。残る4割の「SK－Ⅱ」と「マックスファクター」だけで戦う、と。

当時は大反対しましたが、これは最終的に正しい判断でした。人が考えつかないような戦略的な集中です。一時の痛みを伴っても、勝ち目のあるところにすべてをフォーカスしたほうが結果は出せるのです。

この経験があったからこそ、「綾鷹」で思い切った戦略的集中を打ち出せた。そして成功したのです。

大切なところにフォーカスする勇気を持つことです。簡単な間違った選択をするよりも、難しいけれど、なかなか取りにくい選択肢を取るのがリーダーの資質だと私は思っています。

④ 誰もが考えないことを考える力

P&GでCEOまで務めたマネジメントの方が自身の信念を語られた話を聞く機会があり、もっとも印象に残ったのが、この言葉でした。

「An ability to entertain inconceivable」

英語を日常的に使う人でも、ちょっと首をかしげてしまうようなフレーズかもしれませんが、わかりやすく日本語に訳せば、こうなると私は思っています。

「誰もが考えないことを考える力」

つまりは、変革をしようとする、ということです。

物事は多くが型にはまって動いてしまっています。そのほうが、ラクでスムーズだからです。そんなときに「いや、そうではない」とまったく違うことを考え、行動に移そうとすることは、簡単ではありません。殻を破ることは難しいのです。

しかし、普通の人がなかなか考えない、やらないことを意識するからこそ、新しい未来が

拓かれていく。世界が動いていくのです。

南米で飲まれているお茶を日本に持ってこようという「太陽のマテ茶」の発想や、日本コカ・コーラからアルコールの新しいブランドを出してみよう、という発想もそうでしょう。自動販売機の温度を2度上げてみようという試みも、まさに今まで誰も考えたことがないチャレンジだったと思います。

人がなかなか考えそうにないことを、あえて意識して考えてみる、殻を破る。優れたリーダーやイノベーションを起こしてきた人というのは、この力が優れているのだと私は思っています。何より大事なのは、自分で目に見えない殻を作らないことです。

だから私が常に頭に置いていたのは、既存の製品を担当しつつも、「ブルーオーシャン」だったり、新しいサブカテゴリーが作れるのではないか、ということだったのです。それが「置き型ファブリーズ」や「太陽のマテ茶」に結実したのです。

すぐに出せなかったとしても別に構わない。2年、3年とかかってもいい。消費者が欲しいと思えるけれど、今は世の中にないもの。それをいつも考える。考え続ける。「レッドオーシャン」で戦うことばかりを考えず、「ブルーオーシャン」にもフォーカスしてみる。イノベーションを考えるときのフレームワークに入れる。

これは、仕事を楽しむ秘訣の一つだとも思っています。新しいことを考えることは、楽しいからです。チャンスは間違いなく、あるはずなのです。

⑤ノー・フォロワー、ノー・リーダー

リーダーになるとき、どんなリーダーになるべきか、目指すべきは、インスピレーショナル（心を動かす）・リーダーだと思います。簡単なことではありませんが、フォロワーが付いてきてくれるリーダーでなければならないということです。

それこそリーダーになったとき、後ろを振り向いて「私がリーダーだから」と言っても、誰も付いてきてくれなければ、リーダーにはなりえません。

では、どうすれば、人は付いてくるか。パッション・情熱を持って、自分が一番頑張っているかどうか。それが、スタートポイントです。パッション・情熱を持っていないリーダーの下では働きたくないでしょう。

P&Gには、「5E」という言葉があります。「Envision」「Engage」「Enable」「Energize」「Execute」。日本語にすれば、ビジョンを描く、巻き込む、やる気を出させる、パフォーマンスを向上させる、成果につなげる。

組織のポジションによってマネジメントしようとすることを、「ポジションパワー」と呼びます。これでは真のリーダーシップは生まれません。リーダーシップとは、ポジションパワーではないのです。

必要なのは、「インフルエンシャル（影響を与える）・スキル」です。ポジションに関係な

く、「この人の言っていることには一理ある」「この人の言っていることは面白いので一緒にやってみたい」「この人と話しているとワクワクする」と思ってもらえるかどうか、なのです。

「チャレンジではあるけれど、これが成功したら大きな可能性がありそうだ」と思わせられるか。鼓舞し、影響を与えられるリーダーこそが、真のリーダーです。もちろん簡単にはできない。だからこそ、どうやってなろうか、と考える。そのスキルを意識する。

何か新しいことをやろうとするとき、大きな組織であれば「そんなの成功する?」「失敗したら誰が責任を取るの?」という話になるのは、当然のことです。

日本コカ・コーラ時代も、「綾鷹」にフォーカスすることも「太陽のマテ茶」の発売も、周囲は大反対でした。でも、私はあきらめませんでした。部下にも、「絶対やろう」と鼓舞し続けました。

そうやって周囲を巻き込むことで、「和佐がここまで言っているし、頑固だし、しょうがないな」というところまで持っていくことができたのだと思います。フォロワーがいてくれたからこそ、リーダーになることができたのです。

⑥ 真実の瞬間

ビジネスの世界でよく使われるのが、「真実の瞬間」という言葉です。英語で言えば、店頭での「First Moment of Truth」。リアルに何が起きているか、です。

先に「ジョージア」の再生プロジェクトで、コンビニの棚を仮設で作り、ストップウォッチを持って、「Stopping」「Holding」「Closing」を調べた、というエピソードを紹介していますが、そこにこそ「真実の瞬間」があるからです。

そしてこれは、インターネットの世界でも同じです。パソコンあるいはスマートフォンの画面上でストップしてもらえず素通りされてしまうと、販売したい製品にはたどり着かないのです。最終的に買い物カゴに入れてもらうというアクションを、どうネット内に作っていくか。

リアルであれ、オンラインであれ、お客さまがモノを買うときというのは、同じなのです。「Stopping」「Holding」「Closing」という基本をいかに徹底させるかが問われるのです。

そして、やらなければいけないのは「First Moment of Truth」の前に「この製品はいいな」と思ってもらえる状況を作ることです。広告を打って、「なんか良さそうだな」という状況を作る。「Zero Moment」にそれがあると、大きな援護射撃になるのです。

たとえば「太陽のマテ茶」では、日本のマテ茶の認知率が1割程度だったものを、5割にしようとしました。これも「Zero Moment」の取り組みです。テレビで紹介してもらったこともそうです。それが、大ヒットにつながったのです。

そして「Second Moment of Truth」もあります。「真実の瞬間」の後です。製品を買ってもらった後、ブランドのプロミスに対して満足いくだけの製品力がなければ、「なんだ、これは」ということになってしまう。

その点では、私はラッキーでした。P&Gジャパンも日本コカ・コーラも、研究開発セクションがしっかりしていて、強い製品力があったからです。だから、リピートを獲得できた。逆に強い製品力がなければ、リピートは得られません。それでは、ブランドは瞬間で終わってしまいます。

「真実の瞬間」を見極める力をつけるには、一つ方法があります。それは自分自身の「真実の瞬間」を冷静に見極めることです。**他社の製品やサービスを買うとき、自分はどう感じているのか。もし、自分がこの製品をマーケティングするなら、どうするかを考えてみる。**

あるいはハッとするときはどんなときか。国内でも、海外でも、アンテナを高くして意識しておく。その気づきを、自分の仕事に生かす。実はいろいろなヒントは、自分の身の回りにたくさんあるのです。

⑦感情的な部分を大事にする

仕事をするときには、ついついロジックだったり、機能の部分だったりに目が向いてしまいがちです。たとえば「ジョイ」のプロジェクトのとき、たしかに「ジョイ」には油汚れに強いという機能がありました。しかし、それだけでは人は動かないのです。

だから、「ジョイくん」のキャラクターを作った。しかも、ちょっとクセのあるキャラクター。親しみやすくて、クセがあるけれど、憎めない。ユーモアでかわいげがある。そんなキャラクターが応援してくれる。だから感情が揺さぶられるのです。

ブランドの価値というのは、機能だけのものではありません。「コカ・コーラ」は飲むと爽やかになり、おいしいわけですが、「コカ・コーラ」というブランドが持っているイメージは、それだけではありません。

ハッピーだったり、みんなが集まるところで盛り上がる、だったり、セレブレーション、だったり、前向きな感情だったりする。「コカ・コーラ」のブランド価値は、おいしいという左脳で感じる部分以外に、右脳で感じる感情的な部分があるのです。

ファンクショナル・ベネフィットと呼ばれる機能的な便益だけではなく、エモーショナル・ベネフィットと呼ばれる感情的な便益が求められるのです。

「ジョージア」もそうです。缶コーヒーの味が仮に競合とまったく同じだったとしても、

「ジョージア」にはブランドの持っている感情的なイメージがあるでしょう。それが薄まっていたからこそ、あらためて見つめ直すことが必要でした。

そこから「世界は誰かの仕事でできている。」というキャンペーンが生まれたのです。「あ、ジョージアというのは、一人ひとりがやっていることを認めてくれるんだ」「みんなの努力のサポートをしてくれるんだ」という感情につながり、ブランドイメージをはっきりさせることができた。

さまざまな世界的ブランドをイメージするといいと思います。アップル、ディズニー、ナイキ、ハーレーダビッドソン……。それぞれ機能としても素晴らしいのですが、同時にそれだけではないイメージがあるはずです。感情的なつながりを持っているのです。

それは**ブランドの持つ哲学だったり、願いだったり、歴史だったりする。そういうものをどう作っていくか、がマーケティングの腕の見せ所です。**そしてそれは、マーケティングのもっとも面白いところだったりもします。

加えて、感情的なつながりを持つことは、ブランドだけではありません。人のマネジメントでも同様です。「北風と太陽」のように、厳しさも必要だし、フォローも必要になる。うまくいかないときに、怒ったりしない。失敗はすべて責任を取る、という意識を持つ。

直属の部下の家族の状況もケアすることを私は心がけました。感情的なつながりを持つために部下に何ができるか。いいマネジメントをするためには、それを意識してみることです。

⑧ 誰かが成功するために光を照らす

日本コカ・コーラ時代、世界から30人の若手幹部が呼ばれ、6週間、寝食をともにしていろんなトレーニングを受けるというブートキャンプに呼ばれたことがありました。そして最終日、こう言われました。

「6週間を通じて、自分が見つけた、これからの指針になるような言葉を、1人5分ずつでプレゼンテーションしてください」

私が発表したのは、「Passion Counts」でした。やはり最後はパッション。そんな思いからだったのですが、同僚が、こんな言葉を語ったのでした。

「Give Light for Others to Succeed」

誰かが成功するために光を照らす。

私は当時49歳でしたが、大半のメンバーが30代だった中で、彼も私と同年代でした。仲間からは、私たちはおじさんグループと呼ばれていたのですが、私は彼のこの言葉に強く惹かれました。自分がこれからすべきことを、もっともよく表していると思ったからです。

私はP&Gジャパン、日本コカ・コーラという2つの外資系企業で30年間、いろんな幸運に恵まれて、たくさんのことを達成することができました。マーケターとしては、ありがたいことに成功していると周囲からは思われているようです。

実際には大変なこともたくさんあったわけですが、本当に楽しく、ありがたい仕事とキャリアを積むことができました。そしてあらためて思ったことは、**先輩から学んだご恩は、後輩にしか返せない**ということでした。

だからこそ、この言葉は響きました。8つ目の信条にしたい、と思ったのです。そしてこの言葉が、私の次のキャリアをも切り拓いてくれたのでした。

おわりに

２０２３年3月、私は日本コカ・コーラを退職し、独立しました。56歳での起業でした。ありがたいことに日本コカ・コーラでは要職に就くことができ、多くの会社からお誘いも受けていました。すでに名の知れたブランドを、今度は企業トップとしてさらに大きくしていく、というキャリアの選択肢もあったのかもしれません。しかし、私はその選択肢を選びませんでした。

一つの企業にいたのでは、私が影響を与えたり、応援したりできるのは、その会社だけになってしまうと思ったからです。

そうではなくて、今まで私が得てきた知見を、さまざまな企業の活性化に結びつけていきたい。日本企業でも、スタートアップでも、きっとマーケティングやイノベーションが求められている。そこで私はお役に立てるのではないかと考えたのです。

私が作った会社に、Jukebox Dreams（ジュークボックス・ドリームズ）と社名をつけました。

ジュークボックスは、最近でこそ見かけることが少なくなりましたが、聴きたい曲を選んでボタンを押すと、選ばれたレコード盤が針のあるところまで運ばれてきて音楽を演奏してくれる、とても便利で見ているだけでもかっこいいマシーンです。

前述の私の8つの信念の中に、「誰かが成功するために光を照らす」というものがありました。Jukebox Dreamsもこんなマーケティングをしたい、こんなイノベーションをやってみたいという企業やスタートアップの会社のために、それを可能にする、支援のボタンになりたいと思っています。

ボタンを押すことで、ジュークボックスの中にあるたくさんのアイデアやコネクティングドットの種から最適なものを選び出し、協働する企業のビジネスニーズや消費者に対して新しいイノベーション（便益の提供）を作っていきたいと思っています。

Jukebox Dreamsのミッションは、「Innovation for Something Wonderful」。素晴らしい何かのためのイノベーションです。

社会のためにこんな製品やサービスがあったら素敵だなというイノベーションを、たくさんのパートナーの方々と一緒に作っていければと思っています。

また、Jukebox Dreamsではビジネスの支援、マーケティングやイノベーションのコンサルティングという事業に加えて、実は一つ、私の長年の夢を起業によって果たすことを考えました。それは、最高の音楽体験の場を作り、音楽好きの仲間と共有したいというものです。ヴィンテージから現代の最先端のジュークボックスが楽しめたり、オーディオの基礎を作り、今でも最高峰の音を奏でる１９３０年代の劇場用の本格的なオーディオ再生装置を再現したりする夢のプロジェクトです。

準備の一環として、起業以来、私は国内はもちろん、ニューヨークやロサンゼルス、ロンドンなどに出かけては、何軒ものレコード店を回ってジュークボックスに入れるドーナツ盤のシングルレコードを収集したり、ヴィンテージオーディオを集めてはレストアをし、足りない部品を調達したりしてきました。

これらをどのように展開していくかはこれからの課題ですが、ワクワクしながらこの夢の実現に向け一歩一歩前進しています。

この本の結びに、２つの考え方を共有してペンを置きたいと思います。一つ目は「凡事徹底が非凡を生む」、２つ目は「悲観は気分。楽観は意志」です。

「凡事徹底が非凡を生む」

大変な活躍をした人たちの本が好きで、たくさん読んできましたが、私が思ったのは、こういうことでした。

「実は誰もが凡人だった」

生まれながらのスーパースターなど、いないと私は思っています。ある程度DNAの影響はあるかもしれない。でも、そのまま何もしなかったなら、非凡な人にはやはりなれないのです。

では、凡人が非凡になるとはどういうことか。それは「凡事徹底」だと思っています。どうして大変な活躍ができたのかというと、凡事を徹底していたからです。

私の好きな言葉に、イチローさんがヒット数で大リーグ記録を塗り替えたときの言葉があります。

「ここまで来て思うのは、まず手の届く目標を立て、ひとつひとつクリアしていけば最初は手が届かないと思っていた目標にもやがて手が届くようになるということですね。小さいことを積み重ねるのが、とんでもないところへ行くただひとつの道だと思っています」

仕事も同じです。日々やるべきことをやる。逃げない。難しい課題に正面から飛び込む。人と違うことをやろうと心掛ける。そこに可能性があるはずだという気持ちを持ち続ける。**凡事徹底こそが、非凡を生むのです。**実は誰にでもできることにこそ、大きな成功の芽は潜んでいる。私はそう思っています。

「悲観は気分。楽観は意志」

これはフランスの哲学者アランの言葉ですが、人生では、誰もがさまざまな悩みを抱えています。ずっと人生がハッピーだ、などという人は、とても少ないのではないでしょうか？

そこで、「悲観は気分。楽観は意志」なのです。**起こっている事象は同じでも、それをどう捉えるか、で人生は変わる**からです。

「ああ、もうダメだ、最悪だ」と言うのは簡単ですが、そんな状況になったときに、「いや、この厳しいチャレンジは神様がくれたに違いない。成長しろ、と神様が言っているんだ」

「この大変さを楽しむぞ、なんとかなる」

「命までは取られない。ご飯だって食べられている」

そう思えるかどうか。

とりわけ日本人と話すときには、私はよくこう言います。

「日本人に生まれたということは、憲法によって、文化的で最低限度の生活が保障されているのです」

実際、おいしい水は水道の蛇口をひねれば出てくるし、食べるものに困ったり、寝る場所がないという人は非常に少ない。しかし、世界には、そうではない人たちが億単位でいるのです。だから、日本人として生まれただけで、すでにラッキーなのです。

悲観的に考えない。大変だけれど、意志を持って楽観的に生きる。そうすればなんとかなる。これは、自戒のためでもあります。

本書では、さまざまな成功ストーリーを語ってきましたが、そのときどきにおいて、私が常に楽観的だったのかというと、実はそんなことはありませんでした。むしろ悲観的で、ネガティブで、心配ばかりしていたのです。

だから、「悲観は気分。楽観は意志」なのです。これからまだ長い人生、仕事でキャリアを作っていく特に若い次世代や、責任がだんだん大きくなってきた社会人中堅どころ、マネジメントの人にも、この考え方はぜひ、実践してほしいと思っています。人生山あり谷ありです。

苦しいとき、辛いとき、チャレンジな場面に直面したときこそ意志を持って楽観的に。ちょっと肩の力を抜いて。人生なるようになる。生きているだけでありがたい。明日はあしたの風が吹く。

読者の皆さまへ私からの最後のメッセージです。

本書の作成にあたっては、ダイヤモンド社の編集者、亀井史夫さんにお世話になりました。また、構成にあたっては、ブックライターの上阪徹さんにお世話になりました。この場を借りて、御礼を申し上げます。

１９９０年に私が社会人として働き始めて以来、約33年もの間、たくさんの上司、先輩方、同僚、後輩、さまざまなビジネスパートナーの人たちに助けられ、今までのキャリアを積んでくることができました。情熱と頑固さは紙一重。おそらく多くの方々に無理難題をお願いしてきたと思います。ここに厚く御礼を申し上げるとともに、今までに非礼がありましたら、この場を借りてお許しを願いたいと思います。そして私が外で仕事に没頭できたのは、温かい家庭を作って日々私や息子をサポートし続けてくれている妻のお陰であることは言うまでもありません。私のことをいつも陰ながら応援してくれている家族があってこそです。そしてたくさんの友人の皆さまにも感謝と愛をこめて、この本を進呈したいと思います。

２０２３年11月吉日　和佐高志

［著者］
和佐高志（わさ・たかし）
1990年、同志社大学文学部新聞学科卒業後、P&Gジャパン・マーケティング本部入社。医薬品、紙製品のマーケティングに始まり、化粧品＆スキンケア、洗濯関連カテゴリー等を担当。ブランドと人材育成の実績を重ね、ブランドマネジャーからマーケティングディレクターへ。2006年、紙製品、化粧品＆スキンケア事業部担当のジェネラルマネジャーとして、P&Lの責任を持つ。2009年より、日本コカ・コーラのお茶カテゴリーマーケティング責任者。「太陽のマテ茶」や「からだすこやか茶W」などの新製品発売および「綾鷹」ブランドの立て直しなどによるお茶カテゴリーV字回復を実現。2013年、同社副社長に就任し、「ジョージア　ヨーロピアン」「世界は誰かの仕事でできている。」キャンペーンなど複数の大型ブランドのビジネス拡大推進をリード。2019年にコカ・コーラ社世界初となるアルコールブランド「檸檬堂」の開発責任者として成功を収め、最高マーケティング責任者に就任。2020年、日経クロストレンドが選出する、マーケター・オブ・ザ・イヤー大賞受賞。2023年、同社を退社。株式会社Jukebox Dreams（ジュークボックスドリームズ）を設立、同社代表取締役CEO就任。

メガヒットが連発する
殻を破る思考法
――伝説のマーケターが語るヒット商品の作り方

2023年12月12日　第1刷発行

著　者――和佐高志
発行所――ダイヤモンド社
〒150-8409　東京都渋谷区神宮前6-12-17
https://www.diamond.co.jp/
電話／03･5778･7233（編集）　03･5778･7240（販売）
構成――――上阪徹
装丁･本文デザイン――萩原弦一郎（256）
撮影――――小島真也
イラスト――ゆうさく
DTP・図版作成――スタンドオフ
校正――――鷗来堂
製作進行――ダイヤモンド・グラフィック社
印刷――――勇進印刷
製本――――ブックアート
編集担当――亀井史夫（kamei@diamond.co.jp）

©2023 和佐高志
ISBN 978-4-478-11889-4
落丁・乱丁本はお手数ですが小社営業局宛にお送りください。送料小社負担にてお取替えいたします。但し、古書店で購入されたものについてはお取替えできません。
無断転載・複製を禁ず
Printed in Japan